짬뽕

짬뽕

발 행 | 2024년 1월 17일
저 자 | 이민우, 장현철, 박상후
펴낸이 | 한건희
펴낸곳 | 주식회사 부크크
출판사등록 | 2014.07.15.(제2014-16호)
주 소 | 서울특별시 금천구 가산디지털1로 119 SK트윈타워 A동 305호
전 화 | 1670-8316
이메일 | info@bookk.co.kr

ISBN | 979-11-410-6729-8

짬
뽕

이민우
장현철
박상후
지음

차례

제1화

라이프

나는 평범한 27세 김정욱이다.

나는 평범하게 대기업에 취직할 면접을 보러 가는 길이었다.

하지만 내 앞에 교통사고를 당한 여성이 있었다. 나는 순간 패닉이 왔다.

그래도 면접을 보러 갔다. 하지만 아까 여성분이 죽은 것이 떠올라 면접도 잘못하고 뛰쳐 나왔다.

나는 어느 곳의 옥상에 올라 왔다.

내가 "어떻게 올라왔는데."하며 눈물이 찔끔 나면서 갑자기 피부색이 보라색인 어떤 여성이 나를 밀었다. 나는 결국 죽음을 맞이하려고 눈을 감으며 추락했다. 하지만 나는 어떤 검은 궁에서 눈을 떴다.

그 앞에 아까 보았던 여성분이 있었다. 그 여성분이 나에게 하는 말이 "너는 총 4번의 부활할 수 있는 기회를 주겠다"라고 했다. 나는 믿을 수 없어서 말하려 했지만 갑자기 내 이마에 총을 갈겼다.

그 순간 나는 깨어났다. 일어나서 나의 몸을 확인하

니 어떤 대기업 아들이란걸 알 수 있었다.

그때 내 몸의 주인의 기억을 볼 수 있는 알약 같은 것을 삼켰다. 그 순간 사성그룹의 아들의 기억이 내 주마등에 지나갔다. 하지만 그 아들이 있던 장소는 경찰에 쫓기고 있었다.

아까 내가 보던 기억 속에 이 사성 그룹의 아들이 마약을 했다는 기억이였다.

그래서 그런지 쫓기고 있었던 것이다. 나는 살려고 안간힘을 써 운전을 했지만 내 앞에 덤프트럭이 있어 박아 버려 처음에 보던 검은궁에서 일어났다. 나는 그 여자한테 누구냐고 했다.

그 여자는 "내 이름은 한차진이고 이 궁의 주인이다."라고 했다.

곧바로 내게 너의 목숨은 2개 남았어라 하며 내게 총을 갈겼다.

나는 어떤 과학자들이 실험하는 곳에 있었다. 곧바로 내가 깨어난 몸의 기억이 들어왔다.

그 기억의 내용은, 난 해킹범이다 순순히 말해서 난

초능력자이다. 그건 바로 다른 사람의 영혼이나 로봇을 해킹할 수 있는 능력

난 언제부터 이 능력을 언제 알게 되었냐면 난 원래 고아였다. 어느 날 날 데려간 한 박사 그는 옽퍼스 리진이란 세계적이고 알 수 없는 박사였다 난 그와 3개월 지낸 후 도저히 나를 썩을 놈으로 만들듯이 고문을 하였다 난 도저히 못 참을 것 같아서 칼을 가지고 그가 자는 사이에 등에다 칼을 꽂았다.

이 몸의 또 다른 기억: 나는 대한민국에 엄마 있다는 단서를 알려주었다.

난 박사 짐에 있던 1억을 챙기고 대한민국 화폐로 만들어 곧장 대한민국이란 나라에 갔다. 난 그 승무원에게 내가 만든 여권으로 보여줘 무사히 한국에 들어왔다. 그 이후 난 존쥬지에서 조지주라는 이름으로 개명을 하였다. 그리고 21살인 이 몸이 집을 사고 티비를 사곤 티비를 켜자, 한국의 KBW이란 뉴스에서 '한 모텔에서 어떤 여성이 몸에 X자가 써진 채 사망하여.'

라고 간단히 보도가 나왔다.

　내가 편의점을 가는 동안 그 뉴스를 본 주민들은 와 소름 돋는 반응을 했다.

　난 쓰윽하는 모습을 하고 다시 친엄마를 복수하기 위해 단서를 찾는 도중 난 너튜브라는 한 플랫폼에서 2026년 약 5월에 올라온 한 뉴스에서 한 싸이코패스 아내라는 제목으로 한 20대 중반 여성이 남편 살해, 아이 버림으로 한 내용으로 보도로 뉴스를 봤는데 그 뉴스 속 아이에 나랑 똑같이 발바닥에 큰 반점이 있었다. 난 그 즉시 그 뉴스 기자를 수소문 끝에 겨우 찾은 이대기 기자와 면담을 가졌지만 계속 거부를 하였다. 난 몹시 화난 상태였기 때문에 결국 못 참고 마취제를 그 뉴스 기자의 목에 강타했다.

　그 즉시 그날의 정보가 들어왔다. 그 정보에 한 그 뉴스 속 내 친엄마로 추정되는 강지연이라 여성이 이름과 그의 아들의 이름 이세현이라는 내용까지 들어왔다. 그리고 지금 천안에 살고 있다는 것을 찾았다.

　난 천안을 둘러보던 중 어느 할머니께서 손주 아니냐?하면서 나에게 다가와 꼭 않으셨다. 난 14년 동안 눈물을 흘리지 않았는데 그때 눈물이 주르륵 흘러내렸다. 난 그 할머니와 대화 끝에 내 친할머니란걸 알았다. 난 친엄마는 어떻게 됐냐고 했는데 '할머니가 자살을 하였다고 했다'라는 많은 양이 내용의 기억이 들어왔다.

나는 이 몸의 주인도 아니지만 분노했다.

나는 완전 이 몸의 주인이 된 것 마냥 행동했다. 하지만 내가 있던 장소는 고문을 당하는 고문실에 있었다. 그 어떤 남성이 들어와서는 하며 나의 머리에 망치를 가격했다.

그 순간 나는 검은 궁에 깨어 났다. 그 여자가 나한테 '너 이제 목숨 2개다.' 잘 조심해야 될 거라곤 3번째 목숨의 기억을 미리 알려주었다.

3번째목숨의 기억: 일단 내 소개를 하면 나는 18살 고등학교를 다니고 있는 이시아이다.

그리고 나는 남들과 조금 다르게 생겼다. 동양에서 보기 힘든 예쁘고 높이 솟은 코와 중단발이 잘 어울리는 누가 보더라도 평범함을 넘어선 외모이다. 나는 이런 외모 때문에 많은 질투를 받았었다. 그래도 드라마에서 보듯이 심각한 괴롭힘은 아니었지만 그래도 가끔 상처가 되는 말들을 한다. 내가 어렸을 때 부모에게 버려져 보육원에서 자랐다는걸 어떻게 알았는지 그것과 관련된 악담을 하거나 뒷담을 깐다. 누가 보면 나에게 이런 질문을 할지도 모른다.

'너를 버린 부모를 원망하냐?'

난 대답한다.

"그런 부모는 핏줄은 이어져 있지만 한 번도 본 적이 없는 사람들이라고 그러니 가족이 아니다."라고 말한다.

나는 보육원에서 자라오다 보육원 원장 선생님께 입양되었다. 원장 선생님은 정신없이 일하느라 나에게 많은 사랑을 주지는 못하시지만 최대한 나에게 신경써 주시고 나와 관련된 일이면 어떻게든 시간을 내서 해결해주는 고맙고 따뜻한 사람이다. "이라는 기억이였다.

내가 보니 한 특이한 여자 학생이 몸에서 깨어났고

고아였다라는 것으로만 놀림을 받고 내가 깨어난 지금 이 시간이 이 학생이 전학 가는 날이었다.

따르릉 따르릉

시끄럽게 울리는 휴대폰 알람과 눈을 따갑게 찌르는 햇빛에 감고 있던 눈을 뜨고 천천히 스트레칭을 하며 일어났다. 푹 자서 찌뿌둥한 몸을 뒤로 하고 침대에서 일어나 화장실로 걸어갔다.

그리고 이 여학생의 얼굴, 몸을 살펴보았다. 나는 이 여학생이 엄청 예뻤다라고 생각했다. 그리고는 화장실에서 간단하게 세수를 했다. 그러곤 깬 지 얼마 되지 않아 떡진 머리를 감고 말렸다.

머리를 말리며 앞에 있는 거울을 보니 머리가 젖은 하늘색의 중단발 머리가 신기한 감정과 산기를 띠고 있었다. 그래서 그런지 나는 눈에 띄지 않게 가발을 쓴다. 느긋하게 머리를 말린 후 얼굴에 메이크업 후 화장실을 빠져가 거실로 향했다. 거실에 먹을 수 있는 한식이 있었다.

친엄마같이 대해 주신 보육원이 써둔 공책이 보였다.

간단하게 먹을 수 있는 편의점 음식과 원장쌤이 사온 반찬들과 먹으니 그럭저럭 먹을만 했다. 그렇게 우물거리며 밥을 다 먹은 후 방으로 돌아가 교복으로 옷을 갈아입고 학교에 필요한 교과서들을 책가방에 챙겨 넣고 집을 나섰다.

집을 나서자 따듯하다 못해 더운 햇빛이 나를 맞이해 주었다. 순간적인 밝은 빛 때문에 눈을 뜨기 힘들어 손으로 눈을 가리고 눈을 몇 번 빠르게 깜빡여 적응한 후 적색의 벽돌로 도배되어있는 길을 따라 걸었다.

"에옹 에옹 에옹"

길을 걷던 중 내가 가끔 밥을 챙겨 주었던 얼룩덜룩한 길고양이들이 근처 풀숲에서 나와선 나와 시선이 마주쳤다 고양이들은 나를 보자마자 반갑다며 내 손에 몸을 비비며 애교를 부렸다. 너무 귀여워 놀아주고 싶었지만, 시간이 애매하게 남아서 이따가 하교할 때쯤 놀아 줘야겠다는 생각을 하곤 오늘은 전학을 가기 땜에 늦지 않기 위해 다시 발을 옮겼다.

그렇게 나에게 애교를 부리던 고양이들을 지나치고 얼마 지나지 않아 학교 본건물이 보였다.

연한 빨강 베이스에 중간중간 검정과 하얀색으로 인테리어가 되어있는 건물은 지어진 지 꽤 됐음에도 고급스러운 분위기를 내뿜었다.

고급진 분위기를 흘리는 건물을 뒤로하고 본건물로 들어가자 지금 막 등교하고 있는 아이들로 북적거리는 로비? 가 보였다. 로비에서 계단 쪽으로 걸어가 천천히 계단을 오르기 시작했다.

그렇게 오르다 보니 4층을 지나칠 뻔했다가 다행히도 다른 친구들이 멈추길래 같이 멈춰 다행히 지나치지 않을 수 있었다.

그렇게 계단을 벗어나 복도로 나가자 바로 앞에 보이는 많은 반들 중 저 멀리에서 보이는 오늘 전학 올 2학년 1반 이라는 표지판이 보였다.

그 뒤,

담임 선생님이 나를 부르곤 애들 앞에 다가갈 순간 난 애들의 주목에 전 학교에 고아라고 놀림 받은 기

억 때문에 심장이 아픈 느낌이 들었지만 난 자신감
차게

"얘들아 안녕! 오늘 전학 온 이시아라고 해."
라고 했다.

그 소리를 배경 삼으며 가방을 창가에 있는 내 책
상에 걸어 놓고 떠들썩한 아이들 위에 있는 시계를
보고는 안심해서 의자에 천천히 앉았다.

그때 어떤 여자애가 나한테 다가가 인사를 해주었
다. 난 처음 받은 인사에 깜짝 놀랐다.
그 친구는 강시연이란 친구였다. 강시연이 나에게 너
진짜 얼굴 특이하게 생겼다.

그때 나는 전 학교에서 받은 그 말로 오해해 눈물
이 글썽거렸지만 시연이가 전 학교에 뭔 일이 있었길
래 난 괜찮으니 이야기 해봐라고 해서 내가 고아라는
것과 전 학교에서 있었던 일까지 이야기했다.

그리고 역시 동양인 같지 않은 외모 때문인지 남자
애들이 나를 흘긋 보았다. 난 너무 떨렸다.

그때 종이 쳤다.

9시 00분

담임 쌤이 교실의 앞문을 열고는 들어와서 '오늘 체육관에서 행사를 하니 한번 씩 가봐.'라고 히시고

　'학교에서 누군가 담배 피었으니 목격자는 진술부……'

　여러 공지 사항과 안전을 여러 번 당부하곤 나가셨다.

　난 그 뒤 새로운 친구들과 이야기하고 잠시의 쉬는 시간이 지나 너무 지루해서 졸음이 쏟아져 분명 어제 잠을 충분히 잤음에도 쏟아지는 졸음에 꾸벅꾸벅 졸며 1교시 수학 수업을 듣고 있을 때 뒤에서 어떤 애들이 아주 조용히 속닥거리는 걸 귀에 흘려 들어왔다.

　"야야 저번에 어떤 선배가 저 전학생한테 고백했다며?"(전학오고 몇 분 뒤 잘 나가는 선배가 시아에게 고백함)

　"맞아 전학생 어디가 마음에 든 거래?"

　"그 선배가 뭘 모른 거겠지. 저 부모 없는 놈을 누가 좋아해 줘."

　그 이야기를 든 나는 곧장 강시연한테 달려가 니가 말했지? 크게 소리치며 말했다. 그 순간 애들이 나를

쳐다봐 패닉이 왔다. 난 화장실로 도망쳤지만 잠시 후 종이 쳐버려 반으로 갔다. 근데 애들이 속닥속닥

"저 전학생이 부모가 없다며 불쌍해라."

라고 말했다.

나는 이런 말 들으려고 이 학교로 온 게 아닌데라고 느꼈다.

그때 종이 쳐 영어 시간이어서 영어쌤이 오셨다.

영어쌤이 가정법, 도치 등을 알려주시고 50분 뒤 쉬는 시간이 되었다. 난 아까 또 다른 왕따당하는 같은 반 남자 민후와 친하게 되었다.

옆에서 속닥속닥 나를 부모 없다고 불쌍하게 바라보는 눈빛과 놀리는 눈빛…….

그때 나를 옹호해주는 친구도 있었다.

같은반 A씨: 하. '또 저러냐. 전학생 놀리는 거 이젠 질리지도 않나?'라고 했지만 나는 하도 악담을 많이 들어 저 정도면 약과 수준이었다.

그렇게 생각하며 마저 누워서 자려 했지만 악담 덕

인지 너무나 머리가 잘 돌아가서 수업이 끝날 때까지 열심히 수업을 경청했다. 그러다 수업 종이 울려 잠을 자지 못해 조금 예민해진 정신을 가다듬은 후 오랫동안 앉아 온기가 남은 의자에서 일어나 다음 수업을 준비하기 시작했다.

다음 시간인 국어책을 꺼내려, 사물함 자물쇠를 푼 뒤 거기에서 국어 교과서를 꺼내 다시 잠그고 국어반으로 향했다.

3층 본건물에 있는 교실과 달리 반대편 건물 고1들이 있는 4층에 있는 국어반을 향해 새로 사귄 민후의 쌍둥이 누나인 민정이와 함께 걸어갔다. 나는 새로 사귄 친구와 즐겁게 이야기를 했다.

"아니 왜 도대체 국어반(1학년 2반)은 4층에 있는 거야?"

"진짜 이건 그냥 학생들 꼽주는 거 아님?"

"진짜 그러게."

4층 교실을 나와서 1층 로비로 간 다음 반대 로비에서 반대건물로 이동하고 거기에 3층 계단까지 올라야 하는 수고로움에 반 애들이 투덜거린다.

물론 나도 짜증 나고 귀찮지만 그래도 국어 시간이 특히 다른 과목보다는 지루하지 않고 재밌기에 걸어갔다.

그렇게 투덜거리는 아이들과 쉬는 시간의 3분을 까먹고서야 국어반에 도착했다.

먼저 간 애들이 나를 보곤 소곤소곤하게 중얼거리는 느낌이 들었다.

아무튼 국어반은 아직 선생님이 오지 않아 불도 켜져 있지 않았고 우리가 오늘 첫 수업이기에 문도 잠겨있었다. 그래서 그거대로 아이들이 칭얼대며 친한 애들끼리 선생님이 오기 전까지 수다를 떨어 조용하던 복도가 순식간에 시끄러워졌다.

얼마 지나지 않아서 선생님이 오셨지만 어수선한 복도 때문에 잠깐 반 전체가 혼났다. 나는 조용히 있었음에도 혼나 조금 억울했지만 나 또한 다른 애들을 말리지 않았기에 조금 납득했다. 그렇게 혼난 다음 선생님이 문을 열어주시곤 안에 들어갔다

한참 뒤, 드디어 국어 시간이 끝나고 아침에 있었던 일에 신경 쓰여 반으로 돌아오자마자 피로가 쌓여 잠

들었다.

그렇게 길게 잠들고 일어날 때 이미 3교시가 끝나 있었다. 나는 당황했지만 대수롭지 않게 민후와 민정이랑 대화하고 있었다. 아침에 본 그 강시연이라는 애는 아직도 나에 대해 이야기하는 것 같았다.

아무튼 나는 새로 사귄 친구 민후, 민정, 민정이의 친구인 김나은과 같이 밥 먹으러 갔다.

오늘의 급식은 밥 스파게티 갈치 조림 등등이 나왔다.

밥 먹은 뒤, 급식 쉬는 시간에 나는 돌아다니던 중 무엇을 잘못 먹었는지 몰라도 배가 아파 나는 화장실로 뛰쳐갔다. 근데 변기에 앉아 있을 때 강시연 무리도 들어갔다.

그 순간 강시연이 이렇게 말했다.

"야! 하리(강시연의 친구)야. 너 시아라는 애 급식에다가 잘 넣었지?"

하리가

"당연하지 이 자식 아까 남자한테 고백받은 거 골탕 먹어야지 ㅋㅋ"

나는 그걸 듣고는 너무 분이 났지만 참고 그 무리가 나간 뒤 나는 화장실로 나가 반으로 돌아갔다.

그때 어떤 애가

"아 갑자기 이상한 냄새 나지 않냐? ㅋㅋㅋㅋ"

라고 했다

나를 이야기 하는 것 같았다. 나는 아무렇지 않게 친구들과 끝말잇기를 한 뒤 종이 치자 4교시 수업인 체육 이어서 신발을 신고 밖으로 나가려 할 때 내 사물함에 낙서를 한 것을 발견 했다.

그 종이는 "부모 없는 애 아이고 불쌍해라. ㅋ"라고 쓰여 있었다.

그때 민후가

"야! 너 뭐해?"

라고 하면서 팔을 잡았다.

나는 아무것도 아니라고 하며 나갔다.

체육 선생님인 장헌철 쌤이 이름을 부르고 있었다.

"000""000""이시아"

나를 부르곤 헌철쌤은

"오! 너가 오늘 새로운 애구나 안녕! 비록 8개월밖

에 못 보지만 체육수업 즐겁게 해줄게."
라고 하시며 '예쁘게 생겼네.'라고 하셨다.

나는 아무 감정이 들지도 않았다.

체육수업은 농구였다. 그리고 조를 짰다.

농구를 처음 하는 나는 하는 것이 힘들었지만 조원 친구들이 다가와 주어서 덕분에 농구 시간에 다른 친구들과도 친하게 지냈다. 하지만 강시연 무리가 아직도 나에 대해 폄하 한다는 소리가 들렸다.

친구들은 무시하라고 고마운 말들을 해주었다.

농구 시간이 끝난 뒤 마지막 교시인 영어가 시작했다.

sabana라는 이름을 가진 외국인 선생님이셨다.

영어 시간도 그럭저럭 끝난 뒤 청소 담당이어서 나와 민후와 다른 친구와 같이 청소한 뒤, 계단을 내려가던 중 손을 잘못 짚어 넘어질 때 민후가 와서 나는 팔이 아픈 느낌이 들었다. 인대가 늘어난 느낌이었다. 그 순간 나는 기절을 하였다.

몇 시간 뒤 나는 병원에서 눈을 뜬 뒤 다시 잠들었다. 잠시 뒤 내 손을 잡고 민후가 자고 있었다. 난 민후의 안경 벗은 모습을 그때 처음 보았다. 왜 안경을 벗지 않나 싶었다. 그때 민후도 깨어났다. 그리고 시간을 보니 오후 7시였다. 민후도 날 구하려다 다리를 다쳐서 민후의 엄마에게 민후가 내 집에서 잔다고 하였다.

시아의 집 도착.

민후는 먼저 양치와 머리만 감고 민후가 깜박하여 수건을 놓고 와 나보고 갔다 주라고 해서 줄 때 민후의 옷통을 보았을 때 몸이 좋았다. 나는 아무 감정이 안 들었지만 민후는 부끄러운 얼굴이었다.

나도 씻으려 할 때 가발 쓴 거 벗으려고 민후 몰래 조심스럽게 가발을 벗고 씻은 뒤, 가발을 다시 쓰려할 때 민후가 내 머리를 보았다.

나는 그때 두려운 감정이 들어 벌벌 떨고 있었다. 민후도 신기했는지

"머리가 푸른색이네?"라고 하였다.

한참 뒤 민후가 먼저

"나 너 가발이라는 거 알았어."

라고 말했다.

나는

"어떻게?"

라고 말했다.

민후는 내가 아까 뛰어갈 때 가발이 살짝 벗겨져 푸른색 머리카락이 빠진 걸 주어서 너한테 말하려고 했다고 말했다. 나는 이 머리카락에 대해 황설수설했지만 민후가 나에게 자신감을 불어주었다.

밤새 이야기를 하다가 거실에 같이 잠들었다. 나는 그날 나를 처음으로 친하게 대해 준 민후를 보고 고마웠지만, 민후는 별생각이 안들게 말도 안하고 잤다.

다음날 나는 민후와 식사를 한 뒤 오늘은 둘 다 다친 상황이라 학교를 가지 않고 같이 있기로 했다.

민후와 처음으로 가발을 벗고 햄버거도 먹고 나는 염색해야겠다고 다짐했다. 민후는 아쉬운 표정이었다. 미용실에서도 나의 머리 색을 보곤 염색으로도 보기 힘든 색이라 하셨다.

나는 가발과 같은 색인 연한 브라운으로 염색하였다. 내 머리가 푸른색이라 탈색이 잘 안되서 몇 번을 거쳐 염색이 되었다. 탈색을 3번 정도 했기에 미용사

분이 트리트먼트와 보색 샴푸로 손상되지 않게 하라고 무료로 나눠주셨다.

오후 5시

민후는 집에 돌아가기로 하였다. 민후의 다리도 많이 나아진 듯 하였다.

나는 그날 많은 감정을 느낀 뒤, 다음날 금요일에 다시 학교를 갔다.

오전 8시 50분

선생님이 조례를 하시고 나가셨다.

민정이는 민후 보고

"어제 이상한 짓 안했지?"라며 말했다.

나는 이렇게 친구들과 이야기를 할 수 있어서 감동을 받아서 뭉클해졌다

새로 사귄 친구는 벌써 5명이다.(민후, 민정, 나은, 재윤, 서윤)

하지만 나를 안 좋게 바라보는 강시연 무리가 있다.

지금 보면 내가 어제 고백 받은 날 강시연이 그 남자 선배를 좋아한 거 같다.

오전 9시 과학수업과 10시 수업 정보 수업을 하고

3교시 체육 시간 때 갑자기 공사를 하신다며 반에서 학교 괴담을 보여주셨다.

3교시가 끝난 뒤

나는 친구들과 급식을 먹고 나머지 4, 5교시 수업을 하고 친구들과 걸어가던 중 고양이들을 보았다.

나에게 애교를 부리던 고양이였다. 나는 반가워서 고양이에 대해 애들에게 설명했다. 나는 민트라고 이름을 주었다. 눈이 민트색같이 푸르고 밝기 때문이다. 한참 이야기를 하고 나는 보육원 원장쌤이 있다는 사실에 집에 후다닥 갔다. 집에 도착 후 학교에 대해 이야기를 하고는 같이 잠에 들었다.

다음날 토요일

나는 주말이라 집에서 영화도 보고 공부도 하고 그랬다.

오후 8시

나는 친구들과 어제 손로란트를 하기로 약속해 민정이를 제외해 5인 큐를 돌았다.

손로란트는 5대5 싸움 전투이다. 칼을 쓰거나 총을 쓸 수 있고 부활은 없고 먼저 죽이면 이기는 게임이고 최대 5라운드까지 할수 있다.

친구들과 게임 하니 역시 게임에서 승리할 수 있었다.

그 뒤 친구들과 Biscord로 잡담을 나누다가 내 이야기가 나왔다.

친구들 중 한 명이

"요번에 전학 온 지 별로 안 된 시아에 대해 좀 더 알고 싶다고."

하며 나에게 질문을 해주었다.

나는 먼저 친구들에게 나의 소개 등등을 했다. 하지만 내가 보육원 아이라는 걸 얘기하지 않았다.

친구들도 알아서 자기 소개를 하고 다음 날이 되었다. 일요일에 보육원 원장님께서

"이제 우리를 떠나야 돼."라고 하셨다.

나는 놀라서 이유를 묻자 내가 입양이 됐다고 하셨다. 나는 이 나이에 무슨 입양이라며 원장님과 같이 살 거라고 했지만 결국 입양날짜를 알려주시곤 일주일을 시간에 생각해 보라고 하셨다.

그리고 학교에도 일주일 동안 어디 간다고 하셨다고 했다.

D-day 하루 전

나는 결심했다. 입양되기로. 원장님과 양부모님 집
으로 향했다. 그 집을 첨 본 순간 딱 봐도 부잣집인
것처럼 보였다. 드라마에서 나올법한 집이었다.
나는 기대 반 떨림 반으로 가고 원장님이 양엄마와
잘 이야기하러 간다고 차에서 대기하라고 한순간
　차밖에 민정이가 보였다. 나는 반가움에 민정이에게
다가갔다. 민정이는
　"오! 시아야 여기는 어딘 줄 알고 왔어?"
라고 했다.
　나는
　"어? 나 여기가 입양될 집이야. 민정이는 입양 올
집이 우리 집이었어? 와 이제 가족이네."
　그 뒤 나는 집에 들어갔다.
　양엄마가 계셨다. 나는 떨려서 원장쌤 뒤에 있었다.
그 순간 양엄마께서 먼저 나에게
　"네가 시아구나! 반가워!"
　라고 하셨다.

나는 떨림이 풀리고 부끄러워했다. 그리고 양엄마가 귀엽다고 하셨다. 그때 자고 있던 민후가 나왔다.

민후는

"어? 시아? 니가 여기에 어떻게?"

양엄마(민후, 민정 엄마)가 아이들과 이야기하고 호적 등을 바꾸고 성도 양아버지의 정씨를 따라가 정시아 되었다.

침대도 구경하고 몇 시간 뒤 나는 저녁이되 이제 가족이 된 민정, 민후와 저녁을 먹으러 나갔다. 그 순간 나는 역시 드라마에서 나올법한 요리들을 먹었다. 저녁을 먹은 뒤 시간이 늦어 씻으러 간 순간 화장실에 민후가 양치하고 있었다. 나는 수건만 걸치고 있어 깜짝 놀라 문을 쾅 닫았다. 민후 얼굴을 1초 정도 봤는데 민후 역시 부끄러워 얼굴이 빨개진 것을 보았다. 나는 문 뒤에서 서서 이번 일은 없었던 거야라고 하며 물었다. 그리고 민후에게

"너는 학교에서 다른 친구랑 안놀아?"

라고 했는데

"그냥 너와 원래 친한 애들만 같이 놀아. 이유는 없

어.”

라고 했다.

민후가 씻은 뒤 민정이가

“시아야 나랑 같이 씻자.”

라며 미소 지어 말했다. 화장실에 있는 욕조에 같이 거품 가지고 놀았다.

재미있게 씻은 뒤 침대에 가서 자러 갈 때 내방에 모여 양부모님께서 환영한다며 케이크에 있는 촛불을 “호~불어”라고 하셔서 끄고 같이 박수 치고 있을 때 나는 처음 느낀 감정에 눈물이 났다.

그 뒤 나는 이제 자러 갈 때 민후와 민정이가 들어와 같이 자자고 하며 민후는 2층 침대에서 자고 나는 민정이와 같이 잤다. 나는 즐거웠다. 많은 날이 있던 일요일이 지나고 월요일이 되었다.

시끄럽게 울리는 휴대폰 알람과 눈을 따갑게 찌르는 햇빛에 감고 있던 눈을 뜨고 천천히 스트레칭을 하며 일어났다. 푹 자서 찌뿌둥한 몸을 뒤로 하고 침대에서 일어나 화장실로 걸어갔다.

화장실에서 간단하게 세수를 하니 잠이 확 깨는 게

느껴졌다. 그러곤 깬 지 얼마 되지 않아 떡진 머리를 감고 말렸다.

오늘 하루도 열심히 하자라는 마인드로 학교로 향했다. 이제 나에 대한 욕도 줄어 평범한 학교생활을 하게 되었다.

그때 종이 쳤다.

9시00분

담임 쌤이 교실의 앞문을 열고는 들어와서

"오늘 3교시까지만 하고 급식 먹고 가고 1, 2교시 담임 쌤과 교무실에서 1명씩 상담하고 반에 있는 아이들은 영상이나 틀어주라는데 다들 비도 오고 그러니 학교 괴담이나 볼래?"

반 아이들이 웅성웅성대면서 볼래요, 안 볼래요가 섞여 나왔다.

선생님은 투표로 과반수가 넘으면 하겠다고 하였다.

아이들은 엎드린 후 각각 손들었다. 선생님이 투표가 끝나서 다 칠판을 보라고 했다.

딱 보니 찬성 18표 반대 12표로 찬성이 더 많아서 보기로 했다. 10분의 쉬는 시간이 지난 뒤 선생님은 학교 괴담회라는 프로그램을 틀어주시곤 뒷번호부터 상담하러 갔다.

본격적으로 아이들은 학교 괴담에 초점을 맞추었다.

첫 번째 괴담 이야기는…..

학교에서 친구들과 함께 지금은 폐쇄된 3학년 1반 교실에 대한 끔찍한 소문을 이야기한다. 산불로 인해 학교에 내려온 불길이 학생들이 죽어 나갔다는 괴담을 알게 된 소녀들에게 그때부터 이상한 현상이 보이기 시작했다. 교실에서 흘러나오는 괴이한 울음소리. 같은 시간, 인터넷의 페이크 호러 영상을 만들기 위해 몰래 폐교에 숨어든 7명은 화장실에서 촬영을 시작한다. 다른 세계로 연결된다는 차원의 문 그리고 그들에게 이상한 현상이 벌어진다라는 내용이었다.

그 밖의 내용의 괴담을 듣고 나는 온몸에 소름이 돋았다. 그리고 친구들과 급식을 먹고 집에 갈 준비를 하였다. 선생님이 오신 후 종례를 한 뒤 민후와 민정이랑 집에 같이 가서 버스를 탔다. 집에 온 후 집 지하실의 영화관에서 친구랑 영화를 봤다.

영화의 제목은 싱크2였다. 줄거리를 간단히 말하자

면 주인공이 학교를 가서 버스 타고 한참 뒤 버스를 타며 가고 있는데 갑자기 차도 아래에 싱크홀이 생겼다. 그 순간 버스 안에 있던 민진이는 간신히 빠져 나왔지만 버스 안에 있던 나랑 민혁 그리고 버스 안에 있던 경찰관 소방관 휴가 나온 군인 또 다른 백수 아저씨와 평범한 여자 회사원과 같이 총 8명이 대략 300m되는 싱크홀 안에 빠졌다.

비명 소리가 들려서 떡볶이집 앞의 장애물을 모두 치우고 그 안에 있는 떡볶이집 알바 민지가 발견했다. 민지는 떡볶이집 창고에서 생존 물자를 확보하고 옥상 올라가 구조대에 신고했다.

구조대가 출동을 해서 사람들을 호송하지만 주변 지반이 다 약해져서 구조대들도 접근을 하지 못한다. 드론을 지하로 내려보내지만 전파 장애 때문에 드론이 떨어진다. 드론이 옥상으로 떨어진 걸 민지가 발견을 해서 구조대가 도착한 걸 알려준다. 민혁이는 드론에 카메라가 있는 걸 발견을 하고 영상 메시지를 보내기 위해 소방관 아저씨와 같이 이야기를 했다.

그 뒤 드론에 달린 카메라에 같이 뉴스에 보도해

달라고 했다.

그걸 들은 민지씨와 떡볶이 사장 김추진씨가 방송국에 가서 '싱크홀 안에 사람있어요.'하며 방송국 국장님과 이야기하곤 뉴스에 보내기로 했다. 모든 준비를 맞춘 뒤 민지와 추진씨가 방송국 안에서 드론을 조종했다. 그때 모든 드라마, 예능프로그램이 뉴스로 전환되었다. 그 동시에 모든 사람들이 뉴스를 쳐다보기 시작했다. 민혁 소방관 아저씨인 김동우씨와 자세히 보고했다. 다행히 구조대가 잘할 거라며 안심됐지만 비가 너무 와 걱정되었다. 그 순간 그 위에 헬기가 보였다.

하지만 비가 너무 온 탓인지 추락해 같이 안에 있던 회사원 이진주씨가 헬기의 파편에 목이 찔려버려서 사망해버렸다.

그 뒤는 해피엔딩이라는 내용이다. 영화를 다 본 뒤 우리는 지하실에서 올라와 벌써 저녁 8시가 돼서 저녁을 먹으러 갔다. 저녁은 맛있는 제육볶음과 된장찌개였다. 나는 새로 생긴 가족들과 같이 밥을 먹었다. 학교가 끝나고 가족과 같이 밥 먹은 이런 기분은 처음인지라 너무 행복했다.

나는 씻고는 침대에 자러 갔다.

다음 날 아침 나는 평소와 다름없이 밥 먹고 씻고 교복 입고 학교를 가던 중이었다. 하지만 그때 어떤 버스가 우리 쪽으로 방향을 비틀어 전속력으로 돌진했다.

나는 그 순간 이런 생각이 들었다.

"내가 약 3달 동안 이 여학생의 몸에서 살면서 진짜로 이 몸의 주인이 된 것마냥 이 몸에서 사귄 친구와 새로 생긴 부모도 내 베프와 친부모같이 했던 것이 행복했다고 느꼈고 나는 죽는다고 생각해 눈물이 펑펑 쏟아졌다."

고 느꼈다.

그 순간 버스가 내 쪽으로 박아 나는 피를 흘리며 검은궁 앞에서 깨어나 여자한테 다짜고짜

"야 나도 이 몸으로 행복하게 살고 싶었어."

라고 하면 소리를 질렀지만 달라지는 것은 없다고 그 여자가 일침을 날렸다. 그리고 곧바로 이게 마지막 목숨이니 잘 생각해라 하고는 나에게 지금까지 쏜 총이 아닌 레이저를 나에게 쏘았다. 나는 어떤 몸에서 깨어

났다. 하지만 이 몸의 기억이 들어오지 않았다.

나는 곧바로 화장실에 달려갔다. 화장실 거울을 본 순간 나는 기뻐서 몸을 주체할 수가 없었다.

바로 내 원래 몸 면접하러 간 김정욱에서 깨어난 것이다. 나는 곧바로 면접이 먼저 생각나 면접하러 갔다. 그 순간 처음과 똑같이 어떤 여성이 피를 흘린 채로 내 앞에 있었다.

나는 마음속으로 괜찮아라고 했지만, 또 패닉에 빠져 또 옥상에서 누군가 밀어 똑같이 검은궁에 갔다. 나는 검은 궁에서 그 여자를 봐서 기뻤는지 몰라도 에이 장난치지 말라고 했는데 그 여자는 나를 처음 본다고 했다. 난 당황했다. 그리고 나에게 총을 쐈다.

그 순간 깨어났다를 거의 수십 번을 반복했다. 나는 또다시 검은 궁에서 눈을 떴다. 나는 도저히 못 참아서 죽여달라 했지만 이제 마지막 목숨만 남았다고 했다. 그리고 바로 나에게 레이저를 쐈다.

다시 원래 내 몸으로 깨어났다. 나는 이번엔 절대 안 죽고 면접도 잘 보기 위해 다른 쪽으로 향해 면접을 보러 갔다. 그 덕분인지 그 여자가 죽었다고 한 것이 뉴스에만 나올 뿐 내 앞에는 안 보였다.

나는 다시 사성 그룹에 면접을 보러 갔다.

나는 다행히 면접을 순조롭게 해서 그런지 인턴이 아닌 바로 정직원으로 취직했다.

그 뒤 나는 여자 친구도 사귀고 행복한 생활을 하고 있었다.

하지만 어떤 뺑소니범이 내 여자 친구 이지아를 치고 말았다.

나는 그 순간 화가 치밀듯이 올라와 그 녀석을 죽이려 차 문을 열었다. 하지만 그 범인은 음주운전을 하고 있었다. 나는 경찰에 신고에 블랙박스를 넘겨주었다.

또한 119에 전화해 내 여자 친구를 병원에 전화하여 구급차에 이송 중이던 그때 숨지고 말았다는 소식을 들었다. 나는 바로 그 사람을 고소해 재판에 넘겼다.

재판 날짜는 바로 내일이었다. 나는 차려입고 몰래 주머니에 칼을 넣고 재판장 앞에 증인으로 섰다.

재판이 시작되었다. 판사님은 이렇게 말씀하셨다.

피고인 김순직(뺑소니 범인)씨는 증인 김정욱씨의 여자 친구 이지아를 뺑소니한 사실이 맞습니까?

하지만 김순직은

"아니오. 그 당시 술 먹어서 기억 안납니다."

라고 뻔뻔히 말했다.

나는 화를 참고 증거물들 중 블랙박스 영상을 틀었다. 하지만 영상이 틀어지지 않았다.

알고 보니 그 김순직씨는 경찰청장이었다. 그래서 그런지 경찰들에게 미리 손을 썼던 것이다.

나는 화가 그의 목을 주머니에 있던 칼로 강타했다.

나는 그 즉시 주변에 있던 경찰들에 의해 수갑이 채워졌다.

하지만 나는 미리 입에 물던 쥐약을 이로 터뜨리고 삼켰다. 나도 바로 그 즉시 사망해버렸지만, 또다시 검은 궁에서 눈을 떴다. 그 여자가 마지막 목숨이라고 한 것과 다르게 다시 뜬 것에 의아했다.

내 눈앞에 그 여자가 서 있었다. 그 여자가 다시 기회를 준 것이었다.

나는 그 여자에게 고마워했다. 하지만 그 여자는 너

의 몸으로 태어나진 않을 거라고 이것을 명심하라 했다. 그 즉시 그 여자가 나의 이마에 총을 쏘았다.

나는 일어났다. 하지만 그 여자와 말했던 것과 같이 나는 나의 여자 친구 이지아의 몸에서 깨어났다. 그 순간 이지아의 기억의 알약이 나의 입에 삼켜졌다. 하지만 그전의 이야기가 바뀌어 있었다.

내가 여자 친구 대신 뺑소니 김순직한테 맞아 버린 것이었다.

그 뒤로는 김순직이 재판에 넘겨졌지만 똑같이 경찰이 손을 써 단순히 벌금 200만 원에 처하게 됐다.

하지만 내 여자 친구 이지아는 너무 깜짝 놀라 아이를 유산해 버린 것이다.

이로부터 1년 뒤 이지아는 열심히 살면서 돈을 벌고 나랑 비슷한 외형에 비슷한 사건은 겪은 남자친구 김태현이 있었다라는 이러한 기억이 나에게 들어왔다.

나는 이지아의 몸으로 열심히 살아야겠다고 했다. 나는 일단 강태현과의 기억들 들어와 같이 일하면서 살다가 아이를 가지게 되었다. 그리고 몇 달 뒤 아들을 낳고 아들의 이름을 나의 원래 몸의 이름 김정욱으로 지었다.

몇 달 뒤 정욱이가 걷기 시작하고 말도 할줄 아는 나이가 되어 같이 공원에 갔다.

집에서 직접 남편이랑 만든 김밥을 가져와 정욱이랑 같이 먹고 웃으면서 놀아주었다.

그리고 내 남편 태현씨와 입맞춤을 했다.

이 순간 나는 가족의 온기에 문득 마음이 뭉클해져 버렸다. 나는 이것을 끝으로 미소지며 내 이야기는 여기서 끝난다.

제2화

고라니의 저주

1973년 3월 19일 산 근처에 아파트들이 지어졌다.

아파트의 이름은 '고라파크'.

고라파크는 1973년 3월 19일에 지어졌지만 2023년인 지금도 존재하는 오래된 아파트였다. 고라파크에서 40년 동안 이사하지 않고 고라파크에서만 산 할아버지가 있었다.

오늘은 이 할아버지의 손주들이 고라파크로 오는 날 이다. 손주들은 부모님과 함께 아침 일찍 할아버지를 만나러 가고 있었다. 고라파크는 손주들이 사는 곳과 먼 거리에 있었다. 그래도 손주들은 할아버지를 만날 생각에 들떠있었다. 시간이 지나 손주들은 할아버지가 사는 고라파크에 도착하였다.

고라파크는 낡아 무서운 기분을 들게 하지만 손주들은 많이 와봐서 무섭지 않았다. 손주들은 고라파크의 현관문을 열고 할아버지가 있는 층까지 계단으로 올라갔다. 손주들은 할아버지가 사는 현관문 앞에 와서 초인종을 눌렀다. 그러자 할아버지가 현관문을 열어 손주들을 반겼다. 손주들도 할아버지를 반겼다. 서로서로 웃으며 인사하면서 가족들은 할아버지의 집으로 들어갔다. 엄마와 아빠는 할아버지 방에 짐을 풀고 아이들은 들뜬 마음으로 할아버지 앞에 앉아 할아버지에게 말했다.

"할아버지! 저 옛날 이야기 해주세요!"

그러자 할아버지도 말했다.

"옛날 이야기가 듣고 싶으냐..?"

"네!''

"그래 들려주마."

아이들은 할아버지의 옛날 이야기를 들을 생각에 엄청 기대하고 있었다.

할아버지가 말했다.

"자 이제부터 할아버지의 옛날 이야기를 들려주마!"

이렇게 할아버지의 옛날 이야기가 시작됐다.

할아버지의 옛날 이야기는 40년 전 할아버지가 30살 때 이야기다. 할아버지의 이름은 김은규이고 30살이지만 건장한 체격과 나쁘지 않은 외모로 동안이라는 소리를 자주 듣는 사람이었다. 김은규는 원래 서울에 집이 있는 돈이 많은 사람이었다.

하지만 김은규는 도박에 빠져 많은 돈을 잃고 서울

에서 살지 못 하게 되었다. 돈이 얼마 없는 김은규는
이사를 하게 된다.

김은규는 돈이 얼마 없어 시골 쪽에 있지만 지어진
지 2년밖에 안된 조금 으스스한 집으로 이사를 가던
도중 김은규는 고라니를 보지 못하고 치게 된다. 김은
규는 너무나 당황해 밖으로 나와서 고라니 상태를 눈
으로 보는데 고라니 목에 이름표가 달려있었다. 그 이
름표를 보기 위해 김은규는 고라니 쪽으로 가까이 갔
다. 김은규는 고라니의 이름표를 보고 이 고라니의 이
름을 알 수 있었다.

　이 고라니의 이름은 고니었다. 김은규는 이름표만
제거하여 자신의 주머니 속으로 넣고
　'이 고라니 사체를 어떻게 하지?'
하며 고민을 하고 있는데 마침 김은규의 차 트렁크
안에 장비들이 있어 고라니 사체를 빨리 치울 수 있
었다. 김은규는 고라니 사체를 치운 뒤 차에 타 이사
할 곳으로 가버렸다. 김은규는 이사할 곳까지 가는데
마음이 불편하고 찝찝했지만 꾹 참고 빨리 이사할 곳

으로 갔다. 김은규는 자신이 살 건물 입구까지 왔다. 김은규는 이 아파트를 글과 사진으로만 봤지 실제로 본 적이 없어

'그렇게 으으슥하지?'

라는 생각을 하며 왔지만 실제로 본 아파트는 으스스 했다. 마치 아파트 그 자체에서 으스스함이 나오는 것 같은 느낌을 받았다. 근데 아파트 옆에 산이 있다는 사실은 몰랐는데 옆에 산이 있었다. 아무튼 김은규는 아파트 정문을 통과해 야외 주차장에 차를 주차시켰다.

김은규는 곧장 마을 사람들을 찾으러 가는데 마을 사람들을 본 김은규는 당황한 표정을 지었다.

왜냐하면 마을 사람들이 고라니를 강아지처럼 산책시키고 있는 것이었다. 김은규는 당황했지만 일단 마을 주민에게 걸어가 물었다.

"여기가 고라파크인가요?"

마을주민이 말했다.

"네 여기가 고라파크인데 무슨 일로? 못 보던 얼굴인데?"

김은규가 말했다.

"아 안녕하세요. 처음 뵙겠습니다. 저는 여기로 이사 온 사람입니다."

마을 주민이 말했다.

"아 그래요? 그럼 이장님은 만났고?"

김은규가 말했다.

"아니요. 길을 몰라서 찾고 있어요."

마을주민이 말했다.

"그럼 날 따라오시오. 이장님이 어디있 는지 알려줄랑께."

김은규가 말했다.

"넵 감사합니다."

김은규는 마을 사람을 따라 이장님이 있는 곳까지 왔다. 이장님 집 앞까지 와 벨을 눌렀다.

"누구여?"

이장님이 나와 나를 보았다.

"아~자네가 김은규인가?"

"네 안녕하세요. 제가 김은규입니다. 구데 어떻게 아셨어요?"

이장님이 웃으며 말했다.

"딱 보면 알지! 아무튼 들어와."

김은규는 이장님과 함께 이장님 집으로 들어갔다. 김은규는 들어가 이장님과 여긴 왜 왔는지, 고라니와 함께 생활해야 되는데 괜찮은지, 여자 친구는 있는지 등 여러 가지를 물어봤다.

김은규도 하나 물어봤다. 왜 고라니와 함께 사는지.

이장님이 말했다.

"내가 30년 전부터 이 고라파크에 살고 있는데 내가 40살에 여기 들어왔어. 근데 잘 적응해 가며 고라파크에서 살고 있는데 언제 나 혼자서 산을 갔단 말이야? 깨끗한 공기도 마시고 운동도 하고 건강해지려고 갔단 말이야? 근데 어느 순간부터 길이 이상한 거야. 근데 거기에 사람이 한 명도 없었어. 그래서 엄청 고생하고 있었지. 근데 갑자기 고라니가 나타나서 나한테 강아지처럼 애교도 부리고, 몸도 부비고, 엄청 친한 척 하는 거야. 그래서 나도 이뻐해 줬지. 왜냐하면 내 주변엔 나무랑 이 고라니 밖에 없었거든. 그래서 이 고라니를 의지해야 됐어. 그런데 고라니가 어딜

가고 싶어 하는 거야. 그래서 따라갔다? 근데 다시 아는 길이 나온거야. 그래서 고라니랑 함께 마을로 내려왔지. 그래서 고라니가 내 생명의 은인이야. 그래서 내가 이장이 돼서 마을 사람들한테 이 얘기를 해주고 다들 고라니를 한 마리씩 데리고 있게 했지. 고라니가 내 생명의 은인이니까 마을 사람들도 지켜줄까 하고. 그래서 마을에는 고라니가 많을 걸세. 김은규 당신은 고라니를 좋아하나?"

김은규는 생각했다.

'원래 고라니를 좋아하진 않는데. 아침에 고라니를 차고 친 것도 그렇고. 근데 여기서 내가 고라니를 싫어한다고 하면 안되겠지?'

그래서 김은규는 이장님에게 고라니를 좋아한다고 선의의 거짓말을 했다.

이장님은 기뻐하며 김은규에게 이삿짐을 다 옮기고 자기한테 오라고 하였다. 김은규는 알겠다고 하고 이장님의 집을 나왔다. 김은규는 고라파크 106동 1204호에 살게 될 것이다. 김은규는 이삿짐을 옮기며 이장님의 말을 생각했다.

'왜 이장님이 이삿짐을 정리하고 자기한테로 오라고 한 거지? 더 소개해주시려고 그러시나? 아니면 떡 주시려고? 아니지. 떡은 내가 돌려야지. 그럼 뭐 때문에 나를 부르셨지? 김은규는 이삿짐이 다 옮겨질 동안 계속 생각했다. 하지만 김은규가 생각한 것들은 온통 애매한 것밖에 없었다. 아무튼 김은규는 이삿짐을 다 옮기고 이장님을 찾아 갔다.

'이장님 저 왔습니다.'

이장님이 김은규를 반갑게 마주해주셨다. 김은규가 이장님에게 왜 자기를 이삿짐 다 옮기고 불렀냐고 물었다 그러자 이장님은 밝은 목소리로

'너도 이제 우리 주민인께 고라니 한 마리 사주려고 불렀지. 어때? 좋지?'

이장님의 말을 듣고 김은규는 좋진 않았지만, 이장님의 표정을 보고 싫다고는 못하겠어서 좋다고 말했다.

이장님은 밝은 표정으로 고라니들을 소개해주셨다.

일단 1번 고라니의 이름은 고순이로 성별은 암컷이고, 착한 성격에 몸집도 크지 않은 온순한 고라니였

다.

다음으로 2번 고라니를 소개해주셨다. 2번 고라니의 이름은 고락니로 성별은 수컷 이고, 성격은 좀 난폭하지만 주인이 아프거나 슬플 때 인간으로 따지면 위로와 비슷한 행동을 해준다. 말하자면 츤데레..?

아무튼 다음으로는 3번 고라니 고씨이다. 이 고라니는 이름이 두 글자이다. 성별은 수컷이고 성격은 다른 고라니들에 비해 우아한 편이다.

4번 고라니는 좀 특이하다. 이름은 고순씨. 성별은 특이하게도 중성이다. 이장님이 고라니들을 모두 산에서 데려오셨다고 하셨는데 고순씨만 성별이 중성이다.

그런데 4번 고라니의 성격도 특이하다. 사람으로 따지면 어떨 땐 남자의 성격이, 어떨땐 여자의 성격이 나온다. 이중인격이다. 나쁘다는 건 아닌데 좀 특이했다. 여기까지 이장님이 고라니들을 소개해주셨다.

김은규는 생각했다.

'어떤 고라니를 선택해야 너에게 좋을까?'

김은규는 곰곰이 생각했다.

'내가 서울에서 도박에 빠져 돈을 잃고, 오면서 고

라니도 치고 해서 기분이 너무 안좋은데 위로해준다는 2번 고라니를 데리고 가야겠다.'

김은규는 이장님께 말했다.

'저는 2번 고락니를 데리고 갈게요.'

이장님은 좋은 고라니라며 잘 키우라고 말했다. 김은규는 정말 잘 키우겠다고 말한 뒤 감사 인사를 드리고 집으로 돌아갔다. 김은규는 먼저 고락니를 씻기려고 했다. 고라니를 처음 씻겨보는 김은규는 어떻게 씻길지 고민하고 있었는데 물을 받아 놓기만 했는데 고라니가 거부감 없이 혼자 물속으로 들어 갔다. 김은규는 그 모습을 보고 깜짝 놀랐지만 소리를 내면 고라니가 놀라 안 씻을까봐 아무렇지 않은 척 씻겨줬다. 고락니를 다 씻기고 김은규는 뭘 입혀야 하나 고민하다가 그냥 주민분들에게 물어보는 게 빠를 거 같아서 고락니에게 목줄을 채우고 같이 나갔다. 나갔더니 밖에 주민분들이 고라니들과 함께 산책을 하고 계셨다. 지금이 산책시킬 시간인가? 생각하며 고라니를 산책시키고 있는 주민분에게 고라니는 뭐 입혀야 되냐고 물었다. 주민분은 따로 입히진 않아도 되지만 고라니가 추워하면 겉옷 정도만 입혀주라고 나에게 말하셨다. 김은규는 알겠다고 하며 감사 인사를 드리고 산책을 조금 시키다가 집으로 들어갔다. 집으로 들어와 쉬고 있는데 고라니가 계속 소리를 지르는 것이었다. 김은규는 왜 그러는지 몰라 당황하고 있었는데 갑자기 초인종 소리가 들었다. 그 소리를 들은 김은규는 긴장한 표정으로 현관문을 열었다. 밖에 있던 사람은 아까 밖에서 조언을 해주신 주민분이셨다. 주민 분이 김은규에게 말했다.

"고라니가 많이 울지요? 그거 배고파서 그러는 거예요. 그러니까 과일 좀 주면 잘 먹을 거예요. 알겠죠?"

김은규는 알겠다며 감사 인사를 전했다. 주민분은 김은규에게 모르는 거 있으면 물어보러 오라며 자신의 집 주소를 말해 주셨다.

김은규는 다시 한번 감사 인사를 드렸다. 김은규는 돌아와 고라니에게 과일을 주었다. 그러자 정말로 고라니는 조용히 먹어 치웠다. 김은규도 밥을 먹고 잠을 잤다. 그렇게 고라파크에서의 첫날밤이 지나갔다.

다음 날, 김은규는 낯선 곳에서 잠을 자 중간중간 깨며 불편한 잠을 잤다. 그래서 김은규는 아침 일찍 일어났다. 김은규는 일어나 거실로 나와 냉장고 안에 있는 물을 먹으며 하루를 시작했다. 김은규는 소파에 앉아 tv를 보고 있었는데 마침 고락니가 일어나 김은규에게 물을 달라는 눈빛을 보냈다. 김은규는 물을 주며 고락니도 고라파크에서의 하루가 시작됐다. 김은규는 특별한 일 없이 평범하게 하루하루를 보내던 어느 날이었다. 고라파크에 온 지 3년 정도 되어 주민분들과 놀러도 다니는 고라파크의 주민이 되었다. 그러던 어느 날, 김은규는 주민분들과 산에 놀러가는 날 이었다. 산에서 캠프를 하며 주민분들과 행복한 시간을 보내고 있었다. 아침에 텐트를 펴고 아침밥을 간단하게 먹고 시원한 계곡 물에서 놀았다. 참고로 고락니는 친한 주민분에게 맡겨 두었다.

아무튼 김은규는 주민분들과 놀던 도중 3시쯤 아저씨들이랑 산으로 올라가 약초나 먹을 수 있는 풀들을 따던 도중 김은규는 처음 보는 고라니를 발견했다. 이름표가 없는 걸 보아하니 고라파크에 있는 고라니는 아닌 것 같다.

그런데 갑자기 김은규는 온 몸에서 식은땀이 막 흐르기 시작했다. 김은규는 겁에 질려 옆에서 같이 풀들을 따던 아저씨에게 물었다.

"저. 저기 고라니가 있어요. 이상해요."

아저씨는 김은규가 보는 곳을 보았지만, 거기엔 아무것도 없었다. 김은규는 더욱 겁에 질려 아저씨에게 빨리 내려가자고 소리쳤다.

아저씨는 당황에 김은구에게 이유를 물었지만, 김은규는 극심한 공포 때문에 아저씨의 말을 무시하고 텐트가 있는 방향으로 뛰었다. 아저씨들도 김은규가 저렇게 겁먹은 모습을 처음 봐 무슨 일이 있나 보다 하고 김은규와 같이 텐트로 향했다. 시간이 지난 뒤 김은규와 아저씨들이 텐트로 돌아왔다.

마을 주민분들 중 여자인 아줌마들이 바베큐를 준비하고 있었다. 그런데 김은규와 아저씨들이 갑자기 뛰어오는 모습을 보며 놀란 마음을 뒤로하며 그들을 의자에 앉혀 진정을 시켰다.

김은규는 아줌마들과 아저씨들이 괜찮다고, 진정하

라고 말을 해주시니 정신을 차렸다. 김은규는 진정하고 자신과 아저씨들이 왜 뛰어 내려왔는지 설명했다. 이야기를 들은 아줌마들과 아저씨들은 충격에 **빠졌다**.

왜냐하면 아저씨들 눈에는 고라니가 보이지 않았기 때문이다.

일단 가장 멘탈이 쎈 아줌마가 모두를 진정시킨 뒤 김은규가 잘 못 본 것일 수도 있으니 잘 생각해 보라고 김은규에게 말했다.

김은규는 아줌마에게 겁에 질린 표정으로 말했다.

"고라니, 고라니에요……. 근데 보통 고라니가 아니에요. 살아있는 게 아닌 거 같아요."

그러자 아줌마의 표정도 김은규와 같이 겁에 질린 표정으로 말했다.

"다들 진정하고 모두들 짐 싸서 집으로 갑시다. 얼른!"

아저씨들이 왜 그러냐고 물어보자 아줌마는 화를 내며 **빨리** 집에 가자고 소리 쳤다. 아저씨들과 나는 당황했지만, 아줌마가 저러는 데는 이유가 있겠구나하고 얼른 짐을 챙겨 집으로 서둘러 갔다.

집에 도착하고 나서 각자 집에서 짐 정리를 하고 아줌마 집으로 모이기로 했다. 짐을 다 정리하고 아줌마 집으로 갔는데 나 빼고 다른 분들은 다 와있었다.

그런데 김은규는 조금 당황했다. 왜냐하면 마을주민 분들 얼굴이 똑같이 심각한 표정이었기 때문이다. 김은규는 무슨 심각한 문제가 있냐고 물으며 그들의 표정에 대해 의문을 가지고 있었다.

그러자 아줌마가 입을 열었다.

"은규야. 너 이사오기 전에 고라니랑 무슨 일 있었니?"

김은규는 어떻게 알았냐며 놀란 표정으로 말했다. 아줌마가 말했다.

"그렇군."

김은규는 왜 그러냐며 물어봤다. 아줌마가 김은규에게 말했다.

"7년 전에도 이런 일이 있었지."

아줌마가 이야기를 꺼내자 아저씨들은 약속이라도 한 건지 각자 집으로 갔다. 김은규는 어디 가시냐고 물었지만, 아저씨들은 아줌마 말 잘 들으라고 조언해

준 뒤 아줌마 집을 나갔다. 아줌마가 눈치를 살피며
이야기를 시작했다.

7년 전.

박상후란 50살의 남자가 고라파크에 찾아왔다. 박상
후는 고라파크에 와서 잘 적응했다. 보통 아파트에 애
완견이 고라니인 아파트는 이 고라파크가 유일하기
때문이다. 아무튼 박상후는 잘 적응하고 잘 먹고 잘
살고 있던 어느 날이었다.

박상후가 이사온 지 3년 정도 지난 시점에 문제가
생긴 것이다. 박상후는 마을에서 사귄 친구와 같이 산
을 타고 있었다. 산을 탄 지 1시간이 되어가고 있는
무렵 박상후에게 문제가 생겼다. 길을 잘 가고 있었는
데 절벽이 나타난 것이다. 박상후는 뒤로 돌아서 가려
고 했지만 절벽 밑에서 동물 울음소리가 나서 호기심
에 절벽 밑에를 내려보았다. 고라니가 절벽에 매달려
있던 것이다.

박상후는 그냥 가려고 했지만 사실 박상후가 이사

오기 전에 고라니를 운전하다가 차로 친 적이 있었다. 박상후는 그 일 이후 꿈에서도 고라니가 나왔고, 환청에, 환각까지 보게 되었다. 그래서 고라파크로 이사를 오게 된 것이다.

고라파크로 이사 온 후 그 고라니는 보이진 않지만, 양심에 가책을 계속해서 느끼고 있었다. 그 상황에서 이 고라니마저 죽게 내버려 두면 정말 나쁜 사람이 될까 봐 이 고라니는 구해야겠다라는 심정으로 절벽을 조심스럽게 내려가 이 고라니를 구했다.

구해 준 고라니는 풀어주고 뿌듯해하며 산을 내려가던 중 앞에 환영이 또 나타나기 시작했다. 박상후도 3년 만에 나타난 환영이라 당황했지만 침착하게 대응했다. 환영에서 그 고라니가 나와 또 무서운 소리를 낼 줄 알고 귀를 막고 있었는데 고라니가 인간의 언어로 말했다.

"그 손을 내리거라. 넌 날 죽인 죄가 있어 널 계속 따라다니며 죗값을 받게 하려고 했지만 넌 이 고라니를 너의 목숨이 위험한 순간에서도 구했다, 그러므로 난 이제 너의 곁을 떠나가려 한다. 잘 있어라."

그러자 박상후가 말했다.

"미안해. 정말 미안해. 내가 일부러 그런 건 아니었어. 정말 미안해. 다음 생에는 인간으로 태어나서 잘 살아. 잘 가고 미안했어."

그 고라니는 웃으며 사라졌다. 박상후는 용서받은 것이다. 박상후는 눈물을 흘리며 내려가 친구에게 자초지종을 설명하고 고라파크에 가서도 자신이 저질은 악행과 용서받았다는 것을 말했다. 박상후는 그 뒤로 고라파크 주민분들에게 용서받으며 이장이란 자리까지 올라갔다. 박상후는 그 뒤로 이장으로서의 역할을 충실히 했으며, 고라니에게 구해져 고라니를 특별히 고라파크에서 키울 수 있게 하였다.

김은규는 이 이야기를 듣고 나서 잠시 고민하다가 말했다.

"사실 저도 고라파크에 이사 오다가 고라니를 차로 치었어요. 죄송해요."

그러자 아줌마가 말했다.

"나한테 죄송하다고 하지 말고 그 고라니한테 미안

해야지. 설마 이런 일이 또 일어날 줄이야. 아무튼 이 장님처럼 용서받을 수밖에 없겠어."

김은규가 말했다.

"고라니한테 용서받으려면 그 방법밖에 없나요? 다른 방법은 없나요?"

아줌마는 깊이 고민하다가 말했다.

"아직 시도는 안해 봤지만, 방법이 있긴 해요. 사실 우리 고라파크에 좀 조용한데 조금 이상한 사람 있지? 그 아저씨가 사실 무당이야. 한 2년 전에 비밀로 나한테 말했거든. 이장님 사건 이후에 혹시나 해서 만들었다는데 아직 이장님과 같은 사람이 없어서 해보지는 못했어. 그래서 좀 위험할 수 있는데 그래도 할 거야?"

김은규는 잠시 고민하다가 생각했다. 이장님처럼 양심이 찔려 마음 한 구석이 아주 불편하게 살았다는 것을.

김은규는 말했다.

"저 하겠습니다. 좀 위험하지만 저도 이장님처럼 양심도 찔리고 그 고라니가 귀신이 돼서 나타났으니 하겠습니다."

아줌마는 김은규에게 먼저 무당 아저씨를 데려 와
이야기를 하고 나서 고라니의 저주를 풀어보자고 말
했다. 그 말을 듣고 김은규는 아저씨한테 이 이야기를
말해 주려고 빨리 아저씨 집으로 갔다. 김은규와 아줌
마는 아저씨 집에 도착해 아저씨를 불러 아저씨에게
고라니의 저주 좀 풀어달라고 말했다. 아저씨는 알겠
다며 오늘 밤에 의식을 치르자고 아줌마와 김은규에
게 말했다. 김은규와 아줌마는 아저씨가 말한 준비물
을 서둘러 준비했다.

시간이 지나 밤이 찾아왔다. 김은규와 아줌마는 아
저씨가 말한 대로 준비를 마쳤고, 아저씨는 무당 옷을
입고 와서 의식을 치를 준비를 하였다. 마침내 모든
준비가 완료되고 의식이 시작됐다. 이 의식을 설명하
자면 그 고라니의 피와 자신이 기르던 고라니의 피를
조금씩 섞어 죽은 고라니에게 먹이고, 부적에도 발라
고라니 몸에 구석구석 붙인다. 그리고 아저씨가 주문
을 외운다. 그러면 죽은 고라니가 김은규를 쫓아오던
고라니를 불러 그 고라니가 죽은 고라니 몸에 들어가

김은규와 이야기를 통해 잘 해결하고 죽은 고라니의 목을 자르는 것으로 저주가 풀린다.

김은규는 의식을 치르기 시작해 자신의 고라니인 고락니의 피를 조금 모아 통에 담았다. 3년 전 그 고라니를 치고 묻어줄 때 쓰던 삽에 피가 조금 묻어있어 극소량만 필요하기에 통에 담아 섞고 부적에 조금 발라 죽은 고라니에게 꼼꼼하게 발랐다. 그러자 정말로 아저씨가 설명한 대로 죽은 고라니가 자기 발로 일어나 김은규에게 질문했다.

"날 왜 죽였지. 왜 묻었지. 왜 도망갔지. 왜. 왜. 왜."

김은규가 말했다.

"널 죽인 건 정말 미안해. 일부러 그런 건 아니야. 내가 그때는 그냥 내버려 두면 안될 것 같았어. 그래서 묻었어. 그리고 너무 무서웠어. 그래서 도망쳤어. 정말 미안해. 날 좀 용서해줄 순 없겠니?"

고라니가 말했다.

"고작 사과 가지고 날 죽인 널 용서하라고? 내가 사과 받으려고 죽은 고라니 몸에 들어온 거 같아? 절대 용서 못 해."

김은규가 말했다.

"나는 키우는 고라니가 있어. 내가 죽으면 그 고라니는 슬퍼할 거야."

김은규와 고라니가 이야기를 하는 도중 김은규 집에서 아주 큰 고라니의 울음소리가 울려 퍼졌다. 김은규는 생각했다.

'설마 고락니가 공격받나?'

김은규는 불안한 마음으로 빨리 자기 집으로 달려갔다. 집에 도착하니 고락니는 피를 흘리며 쓰러져 있었다. 그런데 옆에 한 아저씨가 칼을 들고 서 있었다. 김은규는 순간적으로 너무 화가 나 그 아저씨에게 주먹을 날렸다. 아저씨는 기절했다. 김은규는 얼른 고락니에게 달려가 말했다.

"고..고락니..괜찮아? 죽지마. 난 너랑 아직 헤어지기 싫단 말이야. 너랑 좋은 곳도 가보고, 여행도 하고, 행복한 추억을 아직 못 만들었단 말이야. 죽지마."

하지만 고락니는 김은규를 보며 웃으며 눈을 감았

다. 김은규는 정말 슬프게 울었다.

그 광경을 지켜본 고라니는 깊이 생각하더니 김은규에게 말했다.

"넌 네가 키우는 고락니를 구하기 위해 칼을 든 아저씨에게 망설임 없이 달려들어 자신이 죽을 수도 있는 상황에서 고락니를 필사적으로 지켰다. 고락니는 너를 정말로 좋아하고 있었고, 너를 신뢰하고 있었다. 네가 그만큼 잘 키운 거겠지. 고락니가 마지막으로 한 말을 들려주겠다."

"은규야. 나도 너와 더 좋은 추억과 행복한 날들을 더 보내고 싶지만 몸이 말을 안듣네. 미안해. 다음 생에도 너의 고라니로 태어나면 좋겠다. 너와 함께한 모든 순간들이 다 행복했어. 먼저 갈게. 잘가. "라고 말했다.

김은규는 울며 고락니를 꼭 끌어안았다. 그 모습을 본 고락니는 말했다.

"네가 정말로 고락니를 살리고 싶어 목숨을 걸고 칼을 든 아저씨에게 덤빈 점. 고락니를 정말 살리고 싶었지만 못 살려 슬퍼하는 모습을 보니 정말 고락니

를 사랑했나 보군. 그래. 그 진실 된 마음 내가 잘 알
았다. 널 용서해주마. 그 고락니도 내가 살려주마."

김은규는 말했다.

"정말? 날 용서해 줄 거야? 우리 고락니도 살려주
고? 정말 고마워. 날 용서해 준 것도, 고라니를 살려
준 것도."

고라니는 말했다.

"그래. 그럼 앞으로도 고라니 잘 키워라. 잘 가라."

그렇게 고라니는 김은규를 용서하며 하늘나라로 갔
고, 그 아저씨는 고라니의 저주가 자기한테도 옮을까
봐 무서워서 그랬다며 용서를 구했지만 고라파크에서
영원히 추방과 함께 교도소로 끌려갔고, 김은규는 고
락니와 같이 행복하게 살았다.

할아버지가 말했다.

"어때? 할아버지 이야기 재미있어?"

손주들이 말했다.

"네!! 엄청 재미있어요!! 또 해주세요!"

그러자 엄마가 말했다.

"이제 집 가야지. 할아버지도 쉬시게 우린 이제 집 가자."

손주들이 말했다.

"힝. 할아버지 이야기 재미있는데. 그러면 할아버지! 다음에 또 올 테니까 또 이야기 들려 주셔야 돼요?"

할아버지가 웃으며 말했다.

"그려ㅎㅎ 다음에 또 놀러 오면 할아버지가 이야기 들려줄게요."

손주들과 엄마 아빠가 손을 흔들며 인사하고 집으로 떠났고, 할아버지는 다음에 손주들이 언제 올 지 기대하며 잠을 잤다.

제3화

해파리

이 세상에 재능있는 사람이 얼마나 된다고 생각해? 물론 대부분의 사람들은 좋든 싫든 자기들만의 재능들이 적어도 하나씩은 있겠지 그게 없다고 생각하더라도 자신이 모르는 재능은 언제든 있기 마련이니까.

하지만 그 재능들이 자신들이 진정으로 원하는 일이나 직업에 있을 가능성은 얼마나 될까?

어떻게 아냐고? 이미 내가 겪었었고 내 주변 사람들도 그런 이야기를 듣고선 도전했다가 실패했었기 때문이지. 성공은 99%의 노력과 1%의 재능? 맞는 말이지 하지만 이건 위로할 때 쓰기에는 좋은 말이 아니거든 99%의 노력을 하더라도 1%의 재능이 없다면 결국 성공이 아니게 될 테니까.

이런 잔인한 말들은 아직도 동심을 가지고선, 아니면 자신만의 이상을 가지고선 사회로 들어가려는 몸만 큰 어린이들을 망상에서 깨워주고 현실을 직시하게 해줄 말들인데 그런 말들을 아직 현실이 무엇인지 사회가 어디인지도 모를 부모님의 품속에서 아늑하고 따뜻하게 살아가는 아이들이 현실을 직시하지 못하도록 눈가림으로 쓰인다는 것이 더욱 잔인하지.

현실적으로 자신의 상황을 인식하면 절망스럽겠지만 그렇다고 그것을 인식할 수 없도록 하는 것은 그저 부모들의 이기심일 거야. 그저 자신의 아이가 행복하고 안전하게 그리고 희망을 품으며 살아갈 수 있도록 하는 자신들의 이기적인 마음 탓에 아이의 눈을 멀어버리게 하니까.

제때 현실을 직시하지 못한다면 아직 보지 못한 현실에 상상과 희망을 품게 되고 결국에는 과하게 쌓여버린 희망들은 한 번에 쓸려나가듯 무너져 결국 극단적인 상황에 마주하게 하지.

그 상황을 마주한 아이들은 자신들이 어렸을 때부터 상상하고 품어온 세상이 무너져 버리고 자신이 노력해왔던 모든 것이 부정되는 끔찍한 기분일 거야. 그렇게 되면 대부분의 사람들이 폐인이 되어버리지 이건 당연한 거야 제때 현실을 직시하지 못해서 성장해가는 몸과는 다르게 정신은 아직도 희망이라는 것에 눈이 멀어버려 성장하지 못할 테니까 이런 식으로 몸과 정신의 괴리감이 커져가 결국은 터져버려 재기 불능이 되어버리는 거지.

응? 이런 것들은 어떻게 아냐고?

…별 거 아냐. 나조차도 내가 이야기했던 것처럼 헛된 꿈을 꾸다 추락해 버린 한 마리의 작은 새일 뿐이지 나 또한 얼마 전까지만 해도 희망을 가지며 세상은 항상 깨끗하고 나를 위한 것인 줄 알았거든.

이런 것들이 결국은 나 혼자만의 망상이라는 것을 깨달은 것은 불과 몇 시간 전이지.

✱✱✱✱✱✱

"엄마 이번 대회 때 꼭 1등 해서 올게요!"

"그래 꼭 할 수 있을 거란다. 지금껏 열심히 노력했으니 이제 보상받을 때인 것이지 그러니 이번 대회에서 꼭 너의 모든 것을 보여주고 와라."

"네!"

초등학생일 어렸을 적 부모님과 함께 거실에 앉아 TV를 보며 오순도순 이야기를 하고 있을 때 TV 화면에는 검도 대회 중계 영상이 나오고 있었다. 그때 정말 날렵하게 몸을 던져 상대의 머리를 순식간에 맞춰버리는 검도 선수의 움직임은 나의 시선을 꼭 붙들어버렸다.

마치 동화책에서 읽던 날쌔고 용맹한 기사 같은 모습에 나는 매료되어 눈을 감을 때마다 그 장면이 아른거려서 잠을 이루지 못할 정도였다. 심지어 꿈에서 내가 직접 검도를 하는 선수가 되었을 땐 가슴이 너무 두근거리고 몸이 근질거려서 가만히 있질 못했다.

그래서 검도라는 것을 하고 싶다고 부모님께 말씀

드렸더니

"우리 딸이 원하는 거라면 엄마 아빠가 얼마든지 도와줄게."

라는 대답으로 나는 동네 검도장으로 가게 되었다.

검을 잡자마자 깨달았다. 나에게 꿈이 생겼다는걸. 처음에는 발 위치나 스텝을 외워야 했지만 생각보다 몸에 익혀지는 게 빨랐기에 겨우 이틀 만에 기본기를 다 익혀버렸다. 하지만 익혔다 해도 지금까지 운동이라곤 하나도 안했던 몸뚱아리에 근육이라곤 생활 근육밖에 없는 가녀린 팔과 체력으로는 죽도를 20번만 휘둘러도 금방 지쳐버렸다.

그래서 하루에도 몇백 번씩 수십 번을 쉬어가며 휘두르고 순식간에 몸을 날리고 빠져야 하는 검도라는 스포츠이기에 매일 적당히 동네를 가볍게 잔발로 뛰며 지구력과 스텝을 밟는 속도를 키워갔다.

검도장에서는 기술을 배우고 학교를 끝내고 집으로 돌아가면 그 기술들을 쓸 몸의 바탕을 만들기 위해 운동을 열심히 했다. 근육이 붙어가는 와중에 근육통이 심하게 와 검도장을 못가고 운동마저도 쉬어야 한다면 푹신한 침대에 누워 검도 대회 하이라이트를 시청하며 머릿속에서 기술들과 선수들의 행동을 그려나가며 수십 가지의 생각으로 현실에서 실현하려고 했다.

그렇게 근육통이 끝나서 검도장에 가면 누구보다 일찍 가서 스트레칭으로 조금 굳은 몸을 유연하게 풀고는 어제 봤던 검도 선수들의 하체의 위치 머리를 때릴 때 손목의 회전을 생각하며 머리치기를 수십 번을 허공에 내려쳤다.

그런 땀나는 노력들로 결국 1년 만에 전국 검도 대회에 나갈 수 있었지만 아쉽게 결승전에서 심리전 싸움을 져버리는 바람에 나는 은메달을 목에 걸고 2등을 차지했다. 이 결과에 나는 조금 아쉬웠지만 그 아쉬움의 배 이상으로 즐거웠다. 서로 검을 맘껏 휘두르고 상대방으로부터 득점을 따내는 희열감은 검도장에서 다른 애들과 대련을 하는 것과는 차원이 달랐다. 그리고 검도 대회에서 검을 휘둘러 득점을 따내고 내가 이긴 것에 같이 즐거워해 주는 가족이 있어 그때 느껴지는 느낌과 기분은 감히 말로 표현할 수 없을 정도로 황홀하고 즐거웠다.

그렇기에 나는 '겨우' 2등을 했다가 아니라 1년 만에 '벌써' 2등을 했다로 여기고 다시 한번 다음 대회를 위해 수없는 수련을 시작했다.

다음에는 1등을 할 것이라는 목표와 희망을 가지고 열심히 하루하루 수련하다 보니 어느새 나는 중학생이 되었고 동아리 중 검도부에 들어가 이제는 학교에서도 검도를 연습할 수 있게 됐다. 그러다 보니 다음 대회는 생각보다 빠르게 찾아왔다.

이번에야 말로 다시 한번 내가 한 노력들의 결과물을 내 지인과 가족들에게 보여줄 생각에 대회는 긴장되기보다는 오히려 설레었다. 하지만 경기를 할 때 마음이 진정되지 않으면 상대 페이스에 밀려들기 때문에 다시 들뜬 마음을 진정시키고 경기를 시작했다.

그렇게 마음을 다잡고 시작한 경기의 결과는 내가 생각했던 것보다는 처참했다. 과거 2등을 했던 것과는 달리 이번에는 결승전도 가지 못한 채 5등으로 대회는 막을 내렸다.

그에 나는 충격에 빠졌다.

그동안 수없이 열심히 노력했음에도 어째서 더 등수가 내려간 것인지 알아채기 위해서는 얼마 걸리지 않았다.

답은 당연하게도 '재능'의 차이였던 것이다. 내가 충분히 가지다 못해 넘쳐난다고 생각했던 내 재능보다 남들의 재능의 밀도가 훨씬 단단했던 것이다.
수많은 성공을 한 사람들이 책과 영상들을 통해 남겼던 많은 이야기들의 대부분은 재능보다는 노력이 더 중요하다는 말이 많았다. 하지만 그 이야기는 틀렸다.

나의 재능이 대단한 줄 알았는데 나는 나보다 뛰어난 재능들에 밟히는 그저 그런 재능이었던 것이다. 나는 그저 여태껏 다른 사람들에게 들어왔던 재능보다 노력이 더 중요하다는 것이 '부정'당했다.

이것 하나에 절망하는 것이 아니다. 내게 재능이 별로 없는 것? 그건 전의 나에게는 상관없는 말이었다. 끝없는 노력으로 재능의 빈틈을 메워 나갔으면 됐으니까

하지만 그게 아니라면 너무나도 달라진다. 눈앞에 벽을 만났을 때의 무력감 좌절감 같은 감정들이 나를

휘몰아갔다. 재능을 노력으로 채울 수 없다는 것이 얼마나 사람들의 거짓말이 감추고 있던 진실인가?

이런 말도 안되는 부조리가 어디 있는가? 내가 지금까지 가지고 있던 상식과는 달리 경기를 하며 내가 느낀 태어날 때부터 정해지는 한계치를 어떠한 방법을 쓰더라도 늘릴 수 없는 최대치들을 부수기 위해 얼마나 노력했는가 하지만 내 모든 노력들을 세상이 부정하는 기분이었다.

어차피 아무리 노력하고 발버둥 치고 검도에 대해 좋아하더라도 결국에는 수많은 평범한 사람 중 하나가 될 수밖에 없었던 것이었다. 이럴 거면 왜 뼈 빠지게 노력했지?

나는 내가 TV에서 봤던 선수처럼 날렵하고 멋있게 화려하게 검을 휘두르지 못할 텐데.

나는 겨우 검도를 좋아하는 평범한 사람 이상으로는 되지 못하는 걸까?

나는 이제 무얼 보고 나아가야 하지? 평생을 내가 보았던 선수를 동경하는 삶만을 살아왔는데…….

마치 내 앞을 밝혀주던 환한 등불이 꺼져버려 끝없

는 어둠이 찾아온 것만 같다.

모든 것이 막막해서 그리고 내가 해왔던 모든 것들이 허무해서 나는 대회가 끝나고 집에 돌아오자마자 방문을 박차고 차가운 침대 매트로 몸을 던져 누웠다.

온기 하나 없는 침대는 조금 추웠지만 나를 푹신한 매트에 파고들게 해줄 수 있었다. 그리고 곧 나의 체온에 데워져 다시금 온기를 품은 이불과 침대가 날 안아주는 것만 같은 느낌에 나는 조금이나마 위로를 느낄 수 있었다.

그 조그마한 온기에 나는 참고 있던 울분이 터져 나왔다.

나는 그저 해피엔딩을 원했을 뿐인데 '어릴 적 때부터 검도를 하는 것을 동경해왔던 한 소녀는 온갖 노력을 하면서도 포기하지 않고 나아가서 결국은 꿈을 이루었습니다'가 되는 것이 내가 지금까지 생각해왔던 현실일 텐데 어째서 이 모든 노력이 거짓이 되는지 내가 주인공이 아니었던 것일까? 그저 흔한 이름 모를 등장인물 중 하나일 뿐이었나?

그냥 모든 것들이 싫어졌다.

검도 선수라는 것이 '재능'만이 설 수 있는 자리라는 것도 싫었고 그 자리를 보고 동경한 내 자신도 싫었다. 아니 그냥 지금은 세상 자체가 싫었다.

그렇게 온갖 생각을 집어넣고 나는 조용히 울음을 삼키며 잠에 들었다.

그리고 그 마지막으로 생각했던 것은……

'이 침대에서 잠시 자고 일어난다면 이 모든 것들이 하룻밤의 악몽이었으면'이라는 간절한 만약이라는 가정이었다.

****＊＊＊

    하늘을 밝혀주고 온 세상에 온기를 나눠 주던 따스한 햇빛을 비춰주던 태양이 저물고 어둠이 차가운 밤공기를 몰고 왔을 때쯤 나는 눈을 떴다. 힐끔 열린 창문으로 계속해서 잠을 깨워주는 차가운 밤공기에 몸을 몇 번 떨고는 결국 눈을 부시시 비비며 아까까지 우느라 조금 축축해진 베개에서 머리를 일으킨 나는 조금 무거운 마음을 가지고 있었다.

    그 이유로는 열심히 노력했음에도 결국 대회에서 좋은 성적을 기록하지 못해 노력으로도 재능을 이길 수 없는 것을 알아 절망했었던 일이 그저 무서운 악몽이 아니라 현실임을 다시 한 번 깨달아서였고, 낮에 수많은 감정의 파도에 이러저리 치인 탓에 혼란스러웠기 때문이었다. 낮의 일이 다시 머릿속에 떠오르자 다시 한 번 기분은 더 최악으로 떨어졌다.

    결국은 내 길은 검도가 아닌 걸까? 그럼 진짜 내 길은 뭐지? 내가 진정으로 원하고 즐거워하는 일이 검도말고 또 뭐가 있지?

지금 와서 검도를 포기하고 다른 내가 원하는 것들을 떠올렸지만 당연하게도 어렸을 적부터 검도 선수라는 꿈 하나만을 보고 홀린 것처럼 이 상황까지 왔으니 나는 검도 말고 다른 것들은 시도도 해보지 않았고 해보고 싶어 하지도 않았기에 내가 원하는 길은 검도 말고는 없었다.

그렇다고 다시 한번 노력해서 재능의 차이를 뛰어넘기에는, 이미 너무나도 지쳐버렸다.

어차피 재능이라는 것은 노력 따위로는 해결할 수 없는 선천적이기 때문에 다시금 검도에 뛰어들어도 나보다 뛰어난 재능을 가진 자들에게 밀려 결국은 이번 대회처럼 떨어져 버리고 말 것이다.

도저히 해결될 것 같아 보이지 않는 참혹한 내 상황에 답답하고 분이나 나는 열을 식히기 위해서 차가운 밤공기가 흐르고 있는 옥상으로 나갔다.

내가 살고 있는 아파트의 옥상에서 잠시 혼잡한 마음을 추스를 겸 여러 공해와 도시의 불빛으로도 밝히지 못하는 어두컴컴한 밤하늘을 보며 잠시 진정시키려는 생각으로 옥상에 나가, 차가운 복도와 계단을 지나 한 발짝 한 발짝 씩 올라가 옥상의 문을 열었을 때 차가운 바람이 확 문 안으로 들어왔다. 생각지 못한 세찬 바람에 눈에 이물질이 들어갈까 눈을 질끈 감았다. 문으로 밀려 들어오던 바람은 잠시 계속 되더니 재빠르게 다시 흩어져 버렸다. 그 덕에 다시 눈을 뜬 나는……

살면서 본 경치 중 가장 아름답다고 자부할 수 있을 만한 절경을 볼 수 있었다.

"와아……"

세찬 밤바람이 지나간 창문 사이로 보이는 밤하늘은 말로 표현하기 어려울 정도로 아름다웠다. 항상 도시의 불빛으로 인해 어두컴컴한 하늘에서 빛나는 것이라고는 매 주마다 모습을 바꾸는 달과 지구에서 볼 때 가장 빛나고 가장 가까운 화성과 목성 밖에 안 보였지만 지금 보는 밤하늘은 어두컴컴하다기에는 셀 수 없는 수많은 별들이 각자 각색의 빛을 내며 무리를 지어 하늘을 밝게 비쳐 주었기 때문에 오히려 오색찬란하게 빛났다. 심지어 항상 책으로만 보던 은하수가 하늘을 갈라 놓은 강처럼 하늘 끝에서부터 뒷산까지 광활하게 이어져 있었다.

　가끔씩 침대에 누워 잠을 청하기 전에 심심할 때마다 밤하늘에 몇 없는 별들을 지켜보던 나에게는 이런 광경은 마치 동화 속에 나오는 신비로운 장면 중 하나로 와닿았다.

광활한 우주의 아름다움이 책에서 빠져나와 직접 보는 말로 표현하기 어려운 기분을 느끼며 아름다운 밤하늘에 시선을 빼앗기고 있을 때쯤 아주 옛날에 부모님과 별을 보러 갔을 때 내게 해주셨던 이야기가 떠올랐다.

　내가 아주 어렸을 때 부모님과 같이 외국으로 여행을 갔었던 적이 있었다.

　아무래도 너무 옛날 이야기라 거기에 가서 무얼 했는지 무얼 봤는지 잘 기억 나지 않았지만 그래도 아주 희미하게 존재하는 기억에는 어머니와 같이 빛의 방해가 없는 천문대가 근처에 있을 정도로 높은 산에서 나눴던 이야기와 화려한 밤하늘이 인상이 깊어서 아직까지도 기억에 조금이나마 남아있었다.

"엄마 어디까지 가야 하는 거예요? 굳이 지금 가야 해요? 아빠도 지금은 주무시고 계신데."

"후훗 조금만 더 기다리렴. 아주 아주 대단한 걸 보여줄게"

"지금 그 말만 벌써 3번째거든요?"

"정말로 거의 다 왔단다."

고산지대인지라 차가운 바람을 막으려 두꺼운 털모자를 머리에 쓰고 있으니 털들이 바람에 휘날려 엄마의 뒷모습 말고는 잘 보이지 않아 엄마의 손을 잡고 풀이 무성한 숲을 오르고 있었다. 나는 아까 전에 엄청 대단한 것을 보여준다고 하곤 자신을 끌고 나온 엄마에게 걷는데 지쳐 얼마나 가야 하냐고 투정 섞인 말로 물어보자 곧 도착한다는 대답만이 또다시 나왔다. 그에 지친 나는 '그냥 안갈래요.'라는 말을 하려고 입을 열었다.

"엄마 그냥 안 갈……."

"자! 도착했다."

내 말을 도중에 끊어버린 엄마의 말에 순간 화가 조금 나서 엄마를 째려보자 엄마는 그저 자신을 째려보고 있는 나에게 조금 웃어주면서 손으로 하늘을 가리키고 있었다. 그 손가락을 따라 얼굴을 위로 올리자 광활한 별의 모임들이 보였다.

각각의 별들이 오색찬란한 빛을 뿜어 내는 그 장엄하고도 아름다운 광경에 넋이 나간 채로 하늘을 올려다보고 있을 때쯤 엄마가 옆에서 말을 이어갔다.

"아주 아름답지? 엄마가 어렸을 적에 겪은재미 난 이야기가 있는데 들어볼래?"

이미 밤하늘에 시선이 팔려버려서 별들을 구경하는 것 밖에 못하고 있던 나는 엄마 쪽으로는 고개를 돌리지 않고 긍정의 표시로 작게 고개를 끄덕였다.

"사람들의 한계는 항상 다르단다. 저 하늘의 별들처럼 어느 별은 붉은 색을 띠고, 또 어느 별은 푸른색을 띠겠지. 사람들에게는 저 하늘의 별들이 각각의 색을 가지고 있는 것처럼 각각의 재능들이 선천적으로 주어진단다. 몇몇 사람들은 자신들이 원하는 길로 이어질 수 있는 재능이 없어 헤매기도 한단다. 엄마도 그

랬거든 내 재능이 왜 이런 쪽으로는 없는가 나는 결국에는 이뤄질 수 없는 꿈을 꾸는 건가 싶었을 때가 있었거든. 그때의 엄마는 정말로 간절했었어. 남들에게는 사소하게 느껴질 수 있는 재능일지라도 엄마에게는 없었기에 정말로 중요하고 간절하게 그 재능을 원했었지. 그렇게 결국은 신에게까지 기도해가며 나 자신에게 재능이 생기길 원했지. 천재적일 만큼 거대한 재능이 아니라 그저 내가 하고 싶은 일을 이어갈 수 있을 만한 재능이라도 괜찮았지. 그러던 어느 날 마치 기적처럼 일말의 재능도 없던 엄마에게 재능이 주어졌단다. 그 방법은 정말로 허무맹랑해서 다른 사람들이 듣는다면 웃을 정도였지. 그저 밤하늘이 신화 속 한 장면처럼 아름답고 각각의 색이 활개하며 빛을 내는 별들이 가장 많을 때, 그 모습을 봤던 엄마는 뭔가 지금 기도한다면 이루어질 것만 같은 느낌이 들었단다. 어떻게 그리고 어떻게 될지는 모르겠지만 그래도 재능을 얻을 수만이라도 있다면 돌팔이 의사의 수술을 받아도 괜찮았던 엄마는 그 밤하늘에 대고 기도를 했단다. 아니 정확하게는 '희망'했다가 맞겠네. 그때 재능이 생기기를 희망했으니까 말이야. 이처럼 네가 진정으로 원하는 것이 있다면 어떻게든 발버둥 치다 보면 결과는 네가 원하는 대로 이루어질 거야. 노력으로 바뀌지 않는다는 거는 없으니까. 노력했음에도 되지 않았다는 것은 노력의 방향이 잘못된 것이겠지. 우리 딸도 엄마처럼 꼭 원하는 꿈을 찾아서 이룰 수 있으면 좋겠기에 이렇게 밤하늘이 아름다운 곳까지 데려 와서 이야기 한 거란다. 알겠지 우리 딸? 잘 기억해둬 결국 소망하다 보면 이루어진다는 것을"

'그랬었지…그때는 잘 못 들었는데 왜 지금은 생생히 기억날까?'

웅장하고 광활한 밤하늘을 보고 있자니 엄마의 느낌이 이해가 갔다.

'뭔가 지금 내가 원하는 것을 희망한다면 이루어질 것만 같은 느낌이 이런 느낌이었구나. 그럼 정말로 나도 내 소망을 이룰 수 있을까?'

분명히 평소의 나였다면 말도 안되는 말이라며 무시했을 것이지만 나 또한 엄마의 어린 시절처럼 간절했기에 밤하늘을 보며 지긋이 마음속으로 내 염원이 이루어지기를 희망했다.

제발 나에게 조금이라도 좋으니 노력으로 실력을 키울 수 있을 만한 재능이 생기고 싶다.

더 이상 재능의 차이로 인해 절망하고 싶지 않다. 이제 다시 앞을 보며 나아갈 수 있게 '재능'이라는 등불이 주어지기를

그렇게 하늘에 대고 마음속으로 빌자 별 하나가 응답하는 것처럼 빛났다.

곧이어 빛났던 별 하나는 하늘에서 뚝 하고 떨어져 아름다운 별똥별이 되어 긴 꼬리를 남기며 밤하늘을 가로지르며 떨어졌다. 정말로 내 염원이 이루어진 건가 싶었는데 몇 분이 지나도 달라지는 건 없었다.

뭔가 이상한 미신 같은 거에 희망을 거는 내 모습은 어딘가 중2병스러워 약간 많이 자괴감이 들었다.

'으⋯이런 걸 믿다니 나도 참 많이 몰렸네⋯⋯.'

일어난 지 얼마 안 됐음에도 몰려오는 졸음에 자괴

감과 같이 집으로 돌아가 침대에 눕기 전에 창문을 열어 마지막으로 밤하늘을 보며 말했다.

"제발 다시 검도를 하고 싶어요."

나는 그 상태로 침대에 몸을 던져 누워 이불을 끌어 당겨 덮었다.

그렇게 순식간에 암전되는 시야에 나는 마지막으로 정신이 흐려지는 걸 느끼며 슬며시 잠에 들었다.

조금씩 얇은 이불을 뚫고 내 몸에 들어오는 한기에 그리고 눈가를 찔러대는 밝은 빛에 잠에서 슬며시 깬 나는 얼굴을 돌려 우선적으로 시계부터 보았다. 시계를 보자 아날로그로 작동되는 시계의 시침과 분침은 6시 30분을 가리키고 있었다. 잠기운으로 인한 몽롱한 정신에 잠시 시계를 쳐다보던 나는 순간적으로 깜짝 놀라 급하게 상체를 일으켜 세워 다시 한번 시계를 쳐다봤다.

6시 30분? 잠시만. 어제가 목요일이었으니까, 오늘은 금요일?

어제 잠을 중간에 설쳐서 그런지 원래라면 몸에 익은 시간대인 5시에 일어났어야 하지만 그로부터 무려

1시간 30분이나 지나 있었다. 남들에게는 6시 30분은 아주 이른 아침이기에 시간을 잠깐 보고는 다시 잠들 정도이지만 매일 아침마다 체력 단련을 위해서 2시간 씩 동네를 뜀박질하던 나에게는 매우 늦은 시간대였 다. 심지어 주말이었으면 늦게나마 달리기를 했을 터 이지만 오늘은 평일, 즉 학교에 8시 30분에 가서 학 생인 만큼 학업에 열중해야 하기에 달리기를 금방 끝 내고 땀에 푹 젖어버린 몸을 깨끗이 씻고 옷차림과 외모를 단정하게 가꿀 시간이 부족했다.

충분하지 않은 시간으로 인해 지금까지 근 5년간 이어오던 하루 아침 루틴이 끊겨 버려서 혼란한 머릿 속에 희미하게 의문이 급작스럽게 의식의 수면 위로 부상했다.

'아으 왜 내게 어제 알람을 안 맞춰 뒀었지? 분명히 중간에 잠을 깼거나 너무 피곤했더라면 내일 아침을 위해서 알람을 맞춰놨을 텐데?'

이젠 아예 침대에서 몸을 일으켜 세워서 핸드폰의 잠금을 풀고 알람 어플로 들어갔지만 역시나 알람이 설정된 적은 없었다.

'어제 뭘 했었길래 피곤한데도 알람을 안 맞췄었지? 어젠……. 아! 맞다. 어제 대회를 나갔었지. 그리고 망해버렸지.'

그러네. 이젠 검도 대회에도 나갈 필요가 없겠네. 어차피 나가 봐도 나보다 재능있는 사람들은 널리 쌓였고 난 그런 사람들에게 그저 발판이 되어줄 뿐이니까. 앞으로 나아가지 못하고 누군가의 발판이 되어주기 위해 내가 대회에 나가는 것이 아니지 그저 한 땀 한 땀 노력한 대로 결과를 얻는 것에 성취감을 얻으며 검을 휘두르는 희열감을 느끼고 싶은 것이었으니 이젠 그저 검도는 취미로 삼아야겠네.

한순간에 혼란스러웠던 머리는 마치 얼음물을 부은 것 마냥 순식간에 냉기가 가라앉은 것처럼 차갑게 내려앉아 정리되어버렸다. 그제서야 몸에 여유를 되찾은 나는 그대로 몸에 힘을 풀어 다시 침대로 풀썩 내려앉아 누웠다.

"하……. 젠장……."

괜한 행동으로 아침부터 진이 다 빠져버린 나는 짜증 섞인 한숨을 길게 뱉었다.

그렇게 숨을 다시 들이마시자 이상하게 시린 한기가 내 폐로 들어왔다.

그제서야 내가 잠을 깼을 때부터 한기가 느껴졌다는 것을 알아챈 나는 한기가 들어온 곳을 눈으로 쫓아 고개를 돌렸다. 그러자 어젯밤 내가 벌컥 벌어놓은 창문으로 겨울이 다가옴으로써 햇빛이 쨍쨍하더라도 한껏 차가워진 공기들이 내 방으로 들어오는 것이 보였다

어쩐지 춥더라니. 어제 열어 두고 그대로 침대로 다이빙하여 잠에 들었던 기억이 흐릿하게 나서 과거의 내가 너무 무책임하게 느껴졌다. 내가 지금 입고 있는 잠옷은 얼마 전까지 더웠었기에 얇은 반바지와 흰 반팔 티셔츠였다.

차가운 공기에 노출된 채로 자서 혹시나 감기에 걸리지 않을까 하는 걱정을 미뤄 두고 점점 등교 시간에 가까워지는 시계의 분침에 나는 잠결에 뒹굴거리면서 헝클어진 머리와 얼굴을 씻기 위해 침대에서 나와 화장실로 향했다.

화장실에 들어가서 간단히 세수를 하고 심심하지

않도록 화장실로 올 때 같이 가지고 온 휴대폰으로 노래를 틀고 샤워를 즐겼다.

따스한 물로 온몸을 씻고 향기가 나는 샴푸로 헝클어진 머리를 빤 후 거품을 머금은 머리카락을 물로 씻겨 내렸다.

그리고 뜨거운 물들로 인해 함께 달구어진 몸에 남은 수분기를 닦고 화장실 문을 열었다.

문을 열자 안에 갇혀있던 뿌연 수증기들이 밖으로 뛰쳐나감과 동시에 거실에서부터 싸늘하지만 시원한 공기가 밀려 들어왔다. 그리고 그 공기들이 내 몸에 닿음과 동시에 아침잠을 확실히 깨워주는 개운함이 발 끝에서 부터 머리 끝까지 뻗어 나갔다. 개운함을 한껏 느끼며 발을 내딛어서 다시 내 방으로 돌아간 나는 옷장과 서랍을 열어 교복으로 갈아 입었다. 확실히 체육복보다는 불편한 감이 없지 않아 있었지만, 그 동안 수 백번은 느꼈던 것이기에 별로 크게 불편하지도 않았다. 옷을 다 갈아입은 나는 허전한 속을 채우기 위해 거실로 나갔다. 거실로 나가 주방을 잠깐 둘러보니 식탁 위에 비닐로 덮여진 음식들과 매일 일

때문에 바쁜 부모님이 남기신 포스트잇이 있었다.

굳이 아침을 차려주지 않아도 알아서 시리얼로 때우거나 간편식품을 먹어서 아침을 해치웠을 터인데 부모님은 항상 일찍 출근을 해야 함에도 매일 아침마다 내게 먹여줄 아침은 준비해 주셨다. 이런 조그마한 호의에 부모님을 자주 볼 수는 없지만 그래도 내게 주는 사랑의 크기는 매번 실감 할 수 있었다.

그러면서 식탁으로 다가가 포스트잇을 뜯어서 손에 들고 적힌 글자를 확인해 보니

'우리 딸 대회에서 순위권에서 못 들었어도 괜찮아! 우리 딸이 얼마나 노력했는지만 엄마 아빠가 알고 있으니까. 걱정 하지마. 결국 우리 딸은 1등 할 수 있을 텐데! 그러니 힘내라는 의미로 네가 좋아하는 것들로 아침밥 해놓았으니 맛있게 먹고 오늘 하루도 힘내!'

* 참고로 조금 식었으면 전자레인지에 데워 먹어!

보자마자 엄마가 말하는 것이 상상이 되어서 픽 웃어버렸다.

엄마는 매사에 긍정적인 사람이었기에 이번에도 내가 순위권에 못든 것에 대해서는 신경 쓰지 않고 오히려

내가 기운이 축 쳐져 있을까봐 걱정하는 게 눈에 보였다.

손에 들고 있던 포스트잇은 식탁에 내려 놓고 엄마가 준비해 놓은 '내가 좋아하는 음식들'을 한번 보았다. 내가 예전부터 좋아하던 스크램블드 에그와 베이컨 그리고 계란물을 묻히고 버터로 구운 바삭 달콤한 식빵이 눈에 들어왔다. 날 보살펴 줄 시간이 부족함에도 항상 내가 좋아하는 것들이나 싫어하는 것들을 내가 한번 말하면 몇 년이 지나도 기억할 정도로 내게 사랑을 주었다.

그런데 오늘은 약간 마음 어딘가가 불편했다.

마치 당연히 해야 할 것을 하지 못한 것만 같이, 가시방석에 앉은 것만 같았다. 분명히 나를 위로해주기 위해 적은 포스트잇과 아침밥들이 내게는 과분한 기대인 것만 같았다. 어차피 나는 이렇게 응원해주어도 결국은 실패할 텐데. 다음 대회에서도 내가 순위권 안에 들지 못한다면 실망하시겠지.……?!

갑작스레 브레이크가 고장 난 버스인 것처럼 부정적인 방향으로 흐르는 머리에 놀란 나는 머리를 힘껏

틀어쥐고 생각했다. 진정하자 우선 엄마 아빠는 내게 멋대로 기대하시고 멋대로 실망하실 분이 아니잖아? 그리고 오히려 실패하더라도 나를 위로해 주시겠지.

부모님은 지금까지 그 무엇도 나보다 우선순위로 두지 않았으니까.

"흐으읍 - 후우"

부정적으로 흘러가는 생각을 진정시킨 후 깊게 숨을 들이켜 충분한 산소를 들이마시고 내뱉는 것으로 머리를 가라앉혔다. 아무래도 오늘 기분전환을 하기 위해서는 검을 있는 힘껏 휘둘러야 기분이 풀릴 것 같아서 우선 얼른 앞에 놓여져 있는 밥부터 어떻게든 해결해야 했다.

포크와 머그컵을 위에 놓인 선반에서 꺼내 머그잔에 방금 냉장고에서 꺼내 차가운 우유를 담았다. 그리고 전자레인지에 30초 정도 돌린 아침 식사와 다른 것을 먹는 것으로 간단히 아침밥을 목으로 넘겨 삼켰다.

다 먹고 남은 접시들과 설거지거리들은 싱크대에 넣어 충분한 물을 받아 불려 놓는 것으로, 학교를 갔다 오고 나서 할 설거지에 대한 대비를 마쳤다.

아직 학교에 가기에는 평소보다 조금 이른 감이 없지 않아 있었지만 이대로 집에서 몸을 움직이지 않고 있다 보면 부정적인 생각이 아른거려서 차라리 몸을 조금이라도 움직여서 빠른 등교를 하는 것은 나쁜 선택이 아니었기에 나는 책가방에 빠뜨린 교과서나 필기구가 없는지 체크 한 후에 등에 멨다.

그리고 그대로 신발장으로 가 검은 바탕에 흰색 선들로 디자인되어있는 운동화를 신었다. 신발을 약간 덜 신은 상태로 발끝 쪽을 바닥에 탁탁 쳐서 신발 뒷발목 쪽에 발을 넣었다. 밖에 나갈 모든 준비가 끝난 나는 차가운 현관문 손잡이를 잡아 당겨 현관문 밖으로 나왔다. 문을 열고 나온 나는 집이 아파트의 거의 꼭대기 층이기에 계단 앞에 있는 엘리베이터의 버튼을 눌러 엘리베이터를 호출했다.

집이 꼭대기인 것은 창문을 통해 경치를 보거나 주변에 벌레들이 별로 없다는 것에 좋았으나 매번 엘리베이터를 기다리는 시간은 따분하고 지루했다.

곧이어 잡생각을 깨버리는 청아한 소리를 내며 도

착한 엘리베이터에 바로 올라타서 1층을 눌렀다. 문이 닫히고 작은 기계음을 내며 내려가는 승강기에 조금 시간이 걸릴 것 같아서 노래나 들으며 나는 잠시 휴대폰을 켰다.

그리고 너튜브에 들어가 내가 항상 즐겨 듣던 노래 리스트를 찾고 주머니에서 이어폰을 꺼내서 플레이 리스트를 켰다. 노래를 켜자 신나는 박자와 함께 팝송이 이어폰 스피커에서 아주 미세하게 흘러나왔다. 그 이어폰을 귀에다가 넣어서 끼어놓자 노래가 가까이에서 크게 들려왔다.

역시 힘들거나 심심할 때 노래만큼 좋은 것은 없는 것 같다. 음악에 박자를 맞춰 발을 조금씩 움직이고 있을 때쯤 엘리베이터가 딱 좋게 도착했다.

자동으로 열리는 엘리베이터에서 발을 옮겨 아파트 유리문을 열고 드디어 아파트 밖으로 나왔다. 확연히 평소와 다르게 사람들이 적은 걸 보며 나는 색다른 느낌을 받았다. 가끔식은 일찍 등교하는 것도 고려해 봐야 할 정도로 신선했기에 말이다.

"야!!"

"?······?!?"

따사로운 햇빛을 맞고 신나는 노래를 들으며 흥얼거리면서 등굣길을 걷던 중 저 뒤에서 갑자기 큰 소리가 들려와 뒤를 돌아보는 순간 등 쪽에서 강하게 무언가가 충돌하는 바람에 거의 넘어질 뻔했다.

"오 뭐야 살다 살다 네가 일찍 등교하는 걸 내 눈으로 보게 되네 오늘은 왜 이렇게 일찍 나왔냐?"

"뭐···그냥이지."

이 애는 내 6년 지기 친구인 강해린이다. 좋은 친구이지만 주둥이가 문제다. 자제하면 좋으련만.

"허 뭘 그냥이냐 전혀 신뢰 가지 않는 말인 건 알고 있지?"

"...."

젠장 하필이면 이 녀석을 만나 버리네. 아침 일찍 등교하는 건 알고 있었지만, 당연히 우연으로 만날 줄은 상상도 하지 못했는데.

"말 없는 걸 보니 어제 대회 망쳤나 보네. 어제 대회 간다고 학교도 빠진 걸 보니 그렇다고 뭘 그렇게 침울하게 있냐?"

"너 같으면 몇 년 동안 노력한 게 무로 돌아가 버렸는데 괜찮겠냐?"

그냥 기분전환이나 하려고 일찍 나왔는데 계속 자기 일이 아니라고 별거 아닌 듯 말하는 정말 착한 이 친구 덕분에 괜히 짜증이 났다.

"허 너는 네가 뭐라도 되는 줄 아냐? 겨우 몇 년 노력했다고 그보다 더 노력했을 사람들을 꺾는다고? 참… 너 중2병 왔냐?"

"…."

- 욱씬

가슴을 찔러오는 것 같은 비수 섞인 말에 나는 더 이상 말을 잇지 못했다.

사실은 저 말이 맞긴 하다. 나는 내가 어렸을 때에는 내가 이 세상의 주인공이니 뭐든 잘할 거라고 생각 했었으니까. 하지만 저 말에 틀린 점이 있다는 것은 확실했다. 세상에서 이기고 지는 것은 누가 더 노력했느냐가 아니라 선천적인 재능의 차이라는 것이기 때문에 그 사실을 어제 쓰라린 패배로 알게 된 나는 그 말을 하려 입을 열었다.

"내가 노력을 남들보다 더 못했기에 진 게 아니거든? 노력으로 모든 것이 해결되었으면 그 누가 그 노력을 하지 않겠어?"

"그러니까 다른 사람들도 노력을 하니 그들에 비해 노력한 시간이 떨어지는 네가 지는 거지."

"참 긍정적으로 사네 그게 너답기는 해. 하지만 결국 직접 진실을 온몸으로 알게 된다면 생각은 달라지게 될 거야. 실전이란 그런 것이니까"

"그래. 그래. 어제 대회를 치르고 예민한 사람에게 뭘 더 하겠어?"

그 와중에 나를 교묘하게 돌려 까는 친구에 혈압이 올랐다. 진짜로 이러다가 화가 제대로 날 것 같아 말을 하려 할 때 친구가 먼저 말을 이었다.

"그건 그거고 아무튼 학교나 가자. 대화하는 건 길 가면서 해도 충분하니까 제발 가자"

조금 언짢았지만, 언쟁은 나중으로 미루고 멈췄던 걸음을 다시 등굣길로 옮겼다.

"근데 너 오늘 수행평가인 건 알고 있지?"

아 맞다.

****

잠깐 사소한 헤프닝 이후로 학교에 도착한 나와 친구는 같은 반 심지어 바로 옆자리였기에.

같이 가방을 내려 놓고 책상에 앉았다. 아까 오던 길에 언쟁을 해서 그런지 분명 일찍 등굣길에 올랐는데도 도착하고 보니 반 애들이 대부분이 와있었다.

"아나 진짜 이러면 일찍 나온 이유가 없잖아."

"그러게. 그냥 내가 일찍 나왔으면 '일찍 나왔구나' 하면 되지, 왜 그렇게 꼬치꼬치 캐물어서 말싸움을 했냐?"

"재밌으니까."

"⋯⋯하아."

정말로 때려버리고 싶은 친구의 면상을 보고 참을 인자를 여러 번 새겼을 때쯤 시야에 대부분의 학생들이 내가 까먹고 준비 못했던 수행평가 공부를 하고 있었다. 나도 준비는 안해 왔지만 다행히도 교과서와 학습지를 바탕으로 한 수행평가여서 교과서와 학습지를 펴 놓고 어찌저찌 공부하다 보니 종이 치고 1교시가 시작해 버렸다.

초등학교에 들어간 이후로 하루에도 빈번히 들어왔던 익숙한 종소리와 함께 복도에 나가 자기 친구들과 놀고 떠들며 만남의 광장을 이루던 애들이 들어왔다.

하지만 들어왔더라도 몇몇은 자리를 잡고 앉아 수업 준비를 하는 한편 다른 애들은 아직 더 놀고 싶은 듯 앉아서도 서로 이야기를 나누고 있었다.

그런 시끌벅적한 교실이 조용해진 건 선생님이 나무 문을 드륵하고 여는 소리와 함께 들어올 때였다.

"자 쉬는 시간 끝났으니 조용히 하고."

"다들 알고 있겠지? 오늘 수행평가다 공부 해 왔지?"

문이 열린 앞문에서부터 걸어서 교탁에 다다른 선생님이 수행평가를 본다는 말과 함께 시험지를 나눠 주시기 시작했다.

"수행 열심히 잘해봐"

선생님의 손에서부터 종이를 건네받기 전에 친구에게 응원 아닌 응원을 받았다.

조금씩 분노가 차올라 만화로 치면 머리에 붉은 십

자 마크가 생길 것 같았지만, 친구의 말대로 진짜 망해버린 수행평가에 불안감이 분노의 자리를 곧이어 매워 버렸다.

심지어 객관식 문제가 아닌 서답형 문제들이라서 찍지도 못한다. 그나마 가능성 있는 건 방금 아주 잠깐 본 파트 문제들만 나온다면 100점이 불가능한 건 아니겠지만, 그게 가능하다면 그 누가 0점을 맞겠는가.

그 생각을 이후로 수행 종이를 들어 눈으로 잠깐 훑은 나는 딱 한 가지 생각만이 들었다.

'아 X됐네.'

다시금 귓가에 들려오는 수업 시간의 끝을 알리는 종소리가 울렸다.

내 수행평가 결과는 예상했듯이 당연스럽게 망쳤다.

어젯밤에 잠깐이라도 내일 수행평가라는 것을 알아채고 봤었더라도 할만했을 텐데 너무나도 수행평가를 망쳐버린 게 아쉬워서 계속 후회감이 든다.

하지만 당연히 느끼는 것이기도 하지 내가 잠깐 글을 보는 것만으로도 익힐 수 있는 천재적인 재능의 기억력이나 너무나도 머리가 좋아서 그저 추리만으로도 '이건 이걸 것이다.' 추측하여 정확히 맞출 수 있는 마치 셜록 홈즈 와도 같은 재능을 가지고 있지 못하니 노력이라도 해서 성적의 상위권이라는 곳으로 뜀박질이라도 해야 할 텐데, 내가 할 수 있는 노력이라도 하지 못하니 그저 나처럼 재능이 없더라도 나보다 노력한 사람들이 발을 디뎌서 위로 올라갈 수 있도록 하는 발 받침대가 될 뿐이겠지. 그리고 나를 밟고 있는 나보다 조금 노력한 사람들보다 적은 노력으로도 재능이 그것을 보조해주어서 더 위에 있는 사람들이 내 머리 위에 있는 사람들을 밟고 있겠지. 마치 양육강식의 세계인 자연과도 같은 사회이지 어떻게 보면 당연한 걸 수도 있겠네. 인간은 자연으로부터 태어나고 자랐으니 지금 인간이 이렇게 오랜 시간 문명을 발전시켜 조금씩 자연으로부터 멀어지고 있어도 본능에 각인이 되어 있기 때문에.

　이렇게 생각하니 정말로 멀게만 느껴지네. 내가 보았던 찬란히 빛나던 별과 같은 재능을 가진 선수와 같은 자리에 서 있고 싶다니. 그 선수 아래에는 나 또

한 포함되어 있다는 것을. 그 자리에 오르기 위해서는 나 같은 사람들을 짓밟고 올라야 한다는 것을 또다시 실감하게 되는 것 같다. 내가 얼마나 웅장한 것, 얼마나 큰 행복을 꿈꾸는 것 따위는 세상은 알아주지 않는다.

그 누구보다 뜻을 굽히지 않는 사람도 결국은 누군가의 아래일 뿐이니까 그렇다면 나는 결국 사람들의 발 받침대가 되어주기 위한 존재인 걸까?

"야 넌 아침에도 그러더니 이번에도 왜 이리 죽상인 채로 멍때리고 있냐?"

상념을 깨워주는 목소리에 정신을 차리고 쳐다보니 친구가 어이없다는 표정으로 나를 쳐다보고 있었다. 진짜 말 그대로 표정에 '진짜 어이없다'라는 걸 표현하고 있어서 조금 짜증이 날 정도였다.

"아니 분명히 얼마 전까지 몇 년 동안 노력하면서 대회 가서 꼭 이길 거라는 굳센 신념을 가지고 있을 땐 언제고 지금은 겨우 대회 한번 진 거 가지고 왜 이렇게 울상이야?"

"그래 근데 그 노력으로도 못하는 게 있으니까 하

는 말이지."

이 얄미운 친구가 알까? 실제로 몸으로 부딪혀 봐야 알 수 있는 게 있다는 것을.

"그래. 그렇다고 하자. 그럼 이제는 검도 그만 두려고?"

애가 머래냐?

"아니 그렇다고 검도를 끊는 것 정도는 아니지. 그냥 네가 맨날 하지만 안하면 안되는 게임처럼 말이야. 랭커가 될 수 없다고 해서 게임을 안하는 건 아니잖아?"

"음. 그건 그렇지 그런데 은근슬쩍 나를 게임만 하는 겜창으로 말한다?"

"응? 겜창 아니었어?"

"당연히 아니지. 미친년아. 하루에 게임 2시간 넘게는 잘 안하는 데 뭘 겜창이야?"

"그 정도면 겜창이지."

"허 그럼 너는 몇 시간⋯⋯아 맞다! 애 검친년이지. 검도에 미친년."

"그렇지."

그냥 비꼰 말을 내가 가볍게 인정해 버리니 조금의 짜증이 담겼던 친구의 눈이 빛을 잃은 채 죽어버리고 진짜 또라이 보는 눈빛으로 바뀌었다.

　잠시 동안 넋이 나간 듯 표정을 유지한 친구는 그 뒤로 어이없다는 제스처를 취하며 문제집을 꺼내 풀기 시작했다. 관심을 돌린 친구에 나 또한 관심을 학교가 끝나 검도를 시작하는 것에 놓았다. 이제 겨우 1교시가 지났으니 이제 7배에 달하는 시간을 기다려야지, 검도장으로 갈 수가 있다. 생각만으로도 너무 오랜 시간을 기다려야 해서 1교시 밖에 안 지났음에도 벌써부터 지루해 죽을 것만 같았다.

　검을 잡고 싶다고 간질거리는 손을 쥐었다 피면서 움직이면서 나는 생각했다.

　'역시 학교는 싫다.'

　하지만 이제 3교시가 끝나고 학교에서 가장 기다려지는 시간인 점심시간이 왔다. 해린이가 도시락을 꺼내며 내 책상으로 의자를 옮겼다.

　"아 배고파 죽는 줄 알았네. 민정아! 너 오늘 점심 뭐야? 시합 끝났으니까 정성 듬뿍 도시락이 나오는 건가? "

오늘은 별로 입맛이 없다. 엄마라면 분명 시합도 끝났으니 맛있는 걸로 준비했을 것을 알지만 나는 도시락에 손이 가지 않았다.

"아마도 그렇겠지 같이 나눠 먹자."

우리 반 문이 열리고 서연이가 들어왔다.

"나도 먹을래. 정성 듬뿍 도시락!"

이 친구는 먹는 거 하나는 진심인 중학교로 올라오면서부터 알게된 친구다.

"그래 빨리 와. 같이 먹자"

밥 먹던 중 서연이가 내 얼굴을 빤히 쳐다보더니 입을 열었다.

"뭔 일이야? 생각보다 순위가 안 나왔어?"

내 표정을 눈치채고 이야기했다. 내 표정이 어지간히 썩어있었나 보다.

"나도 아까부터 계속 신경 쓰여서 밥을 못 먹겠어. 표정 좀 펴라"

"알겠어. 미안 이제 밥 먹자"

먹는 둥 마는 둥 밥을 먹다보니 어느새 4교시가 되

고 어느새 학교가 끝났다. 이 순간만을 기다렸다는 듯이 나는 바로 자리를 박차고 나갔다.

"야 같이 가. 기다려봐!"

나는 그냥 못 들은 척하고 바로 검도장으로 향했다. 검도장엔 관장님이 나를 기다리고 있으셨다.

"이야 오늘도 1등이야 어제 경기도 했는데 오늘은 빠질 만도 한데."

나도 왜 달려왔는지 모르겠다.

"오늘은 어제 경기하느라 수고했으니까 머리 500번 손목 500번 허리 500번만 하고 가라."

"넵"

나는 관장님의 주문을 받고 바로 죽도를 꺼내 연습용 마네킹을 한번 한번 진심을 다하여 때리니 어느새 관장님의 주문이 다 끝나있었다. 하지만 이대로 돌아가기는 아쉬워서 100번씩만 더 하려고 했는데 관장님이 다가왔다.

"아냐 충분해 더 안해도 돼 어제 수고했고 파이팅 해보자."

관장님의 말을 듣고 나는 7시라는 원래 집에 가는

시간보다 빠른 시간에 집으로 돌아갔다.

집으로 들어섰더니 익숙한 신발이 보였다. 엄마가 일찍 들어온 것이었다.

"아이고 우리 딸 맛있는 거 해주려고 엄마가 일찍 왔는데 딸도 일찍 왔네"

크림 파스타 냄새가 온 집안을 다니고 있다. 어릴 때부터 좋아했던 크림 파스타를 엄마는 특별한 일이 있으면 만들곤 했다.

"오 내가 좋아하는 크림파스타구나! 맛있겠다."

나는 엄마가 만들어준 파스타를 먹는 순간 부드러운 맛에 나는 아무런 잡생각 없이 그저 파스타만 먹기 시작했다. 거의 다 먹을 때 엄마가 먼저 운을 떼었다.

"엄마는 우리 딸이 할 수 있을 거라고 믿어 딸 화이팅! 다음엔 1등 하자!"

나는 순간 엄마 나 포기하고 싶다고 너무 절망스럽다고 말하고 싶었지만, 엄마의 웃는 얼굴을 보니 차마 말이 나오지 않았다.

"고마워 다시 한번 화이팅 해볼게!"

이 말을 끝으로 방으로 올라가 침대에 바로 엎어졌다. 내일은 우리 학교 검도 동아리 대련이 있는 날이다. 우리 동아리에는 5명뿐이지만 이번 대회에서 나를 이기고 올라가 1위가 된 부원도 있고 나름대로 실력이 있는 동아리다. 원래라면 집에서 연습하던가 검도 대회 영상이라도 봤을 텐데, 오늘은 의욕이 없어 그냥 바로 숙면을 취했다.

5시에 일어나자마자 나는 러닝을 하고 오늘은 딱 시간에 맞춰 등교했다.

해린이가 나를 보며 인사했다.

"야, 오늘 너네 동아리에서 대련한다며 연습 많이 했어?"

"아니 별로 안 했어."

해린이가 의아한 표정으로 이야기했다.

"너 김민정 맞아? 파이팅하게 해야지, 왜 이리 의욕이 없어 지난번 대회 때문에 그래?"

계속 지난번 대회 생각만 하면 아직도 한숨이 푹푹 나온다. 그래도 걱정시키기 싫으니까 대충 둘러댔다.

"아냐 지난번 대회는 잊었어. 다시 파이팅해야지.

그냥 어제 너무 피곤해서 연습 못한 거야"

해린이의 표정이 풀리는 게 바로 보였다.

"에이 걱정했잖아. 그래도 오늘 대련인데 괜찮겠어? 이번엔 한설윤 한번 이겨보겠다며 대회에서 경기 한 번 보더니 눈에서 불이 화르륵 하던데."

한설윤은 지난 번 대회에서 나를 제치고 1등을 차지한 지금 가장 유망한 검도 선수이다. 분명 몇 년 전만 해도 내 뒤에 있었는데 언젠가부터 나를 제치고 1등을 차지했다. 나는 점점 내려가는데 바로 옆에서 점점 올라가는 그 아이를 보고 있자니 감정이 벅차 올라서 보다 더 열심히, 보다 더 노력했는데 이번 대회에서 내 실력을 발휘했어야 했는데 한설윤과 경기를 하고 보이지 않던 벽이 아니 보려 하지 않았던 보고 싶지 않았던 벽의 형태가 뚜렷해졌다.

"그래 이번에 한 번 이겨봐야지……"

일부로 말끝을 흐려 내가 힘들다는 걸 표현했으니 눈치를 채주었으면 눈치 차려서 나를 위로해주었으면 나를 걱정해주었으면 했지만 이것이 힘들다는 것을 안다. 내가 걱정말라고 해버렸는 걸 다시 말을 바꾸고 싫어도 내가 괜찮다는 말 한마디에 이렇게 안도를 하고 좋아하는 모습을 보니 내가 힘들다고 포기하고 싶다고 말할 수가 없잖아…

땡~~땡~~~ 땡~~~~~

학교 종례 종이 울리고 선생님이 들어와 종례를 마치고 다 짐을 싸들고 가고 있다.

"오늘 대련 화이팅하고 나도 보고 싶은데 학원 있어서 미안해. 한설윤 타도 화이팅!!"

너무 크게 말해서 부끄러웠지만 그래도 응원해주니 기분은 좋았다. 반 앞에서 서연이가 기다리고 있었다.

" 오늘 화이팅하고 이기자!"

다 같이 응원해주니 기분이 많이 나아졌다. 이 기분이면 무엇이든 다 할 수 있을 것 같다.

그 기분을 한가득 끌어안고 1층으로 내려가 바로 체육관으로 뛰어갔다. 체육관의 문을 열자마자 선배님들이 먼저 대련을 하고 있었다. 오랜만에 다시 검도를 하는 모습을 보니 심장이 뛰었다. 나도 선배님들처럼 검도를 하고 싶다. 그냥 하고 싶은 게 아니라 무지막지하게 하고 싶다. 나는 두근거리는 마음으로 2학년 선배인 해원 선배와 가은 선배의 자유 대련을 바라봤다. 3점대 5점 가은 선배가 우세하고 있다. 그 순간 해원 선배가 머리를 치려고 하자마자 가은 선배가 머리를 막았지만 해원 선배가 바로 뱀처럼 비틀어 허리를 직격하였다. 점수는 4점대 5점 이번엔 가은 선배가 먼저 손목을 노리며 들어와 바로 검을 머리로 내리쳤지만 해원 선배가 머리를 막고 또 다시 허리로 직격타를 날렸다. 이제 점수는 5대5 시간은 20초만 남았고 이 1점으로 승패가 바뀐다. 해원 선배가 시작과 동시에 머리를 친 것을 가은 선배가 막고 바로 허리를 노렸지만 해원 선배는 예측한 듯이 바로 뒤로 빠지며 피했다. 가은 선배는 바로 앞으로 나가면서 머리를 공격하기 위한 자세를 취하며 나갔지만, 해원 선배가 머리를 막고 바로 비어있던 손목을 정확하게 노려 6대5로 해원 선배의 승리로 경기가 마무리되었다. 서로 인사를 하고 내려와서 물을 마시며 이야기를 나눴다.

"솔직히 이번엔 내가 이길 줄 알았는데"

"헐! 허리를 너무 비워놓고 할 소리야? 마지막에나 검으로 허리 막더라 그래서 손목을 노렸지만."

해원 선배는 웃으며 이야기했다.

"이따 1학년들 끝나면 다시 붙자 이젠 내가 너 이
길 수 있다."

"그래 들어와 내가 이번에도 스무스하게 이겨버려
야지."

나는 아직도 선배들의 경기에서 헤어 나오지 못했
다. 특히 마지막 해원 선배가 머리를 막고 바로 손목
을 노리는 침착함과 정확도의 온몸에 소름이 돋았다.
이제 호부를 입고 경기에 나갈 준비가 되었다. 중학교
에 들어가자마자 대회를 준비해서 한설윤과는 대련을
해본 적이 없다. 얼마나 잘할지 두려우면서도 기대가
된다.

"자 시간은 4분이다. 모든 걸 쏟아 내자 시작!"

서로 지켜보다가 설윤이가 먼저 들어와서 나도 같
이 들어가 검을 부딪혔더니 검이 밀려나며 손이 저릿
저릿 해졌다. 이걸 얼마나 느끼고 싶었는지 모르겠다.
이 흥분을 진정시키고 이 대련에 집중했다. 설윤이의
머리에 길이 보였다.

"흐랴앗!!!"

하지만 설윤이는 이것을 쉽게 흘려보내고 바로 내 허리를 노렸다.

탁!

나는 방어하려고 검을 내렸지만 이미 맞은 뒤였다. 물처럼 부드럽게 흘려서 폭포같이 쏘아버렸다. 맞는 순간 맞는 순간 깨달았다.

아! 실력이 차원이 다르구나. 하지만 지고 있는 이 순간도 검도다. 내가 좋아하는 검도! 나의 목표인 검도 역시 나는 검도를 좋아하는 것 같다. 아니, 난 검도를 확실히 좋아한다. 일단 이 흥분되는 마음을 다잡고 다시 머리를 차분하게 시키며 대련에 집중했다. 설윤이는 내 마음이 진정이 됐을 때 들어왔다.

흐랴앗!

분명 머리를 노리고 있었지만 나는 본능적으로 느꼈다. 분명 허리로 꺾여 들어올 것을 바로 허리를 막고 머리로 마무리를 지었다.

흐랴앗!!

탁!

내 검이 설윤이에게 닿았다. 온몸에 소름이 돋으며

기쁨에 소리를 지를 뻔 했지만, 간신히 막고 다음에도 점수를 얻을 거라 다짐했는데 이 점수를 끝으로 내 검이 닿을 일이 없었다. 비록 1대6으로 대련이 끝났지만 나는 내 1점으로 나의 가능성을 보았다. 나에게도 재능이 있을 수 있다는 가능성을.

"감사합니다."

상호 간에 존중을 가지고 인사를 하여 대련을 끝냈다.

"어이 민정아 많이 아쉬웠지만 너의 그 1은 완벽했어. 선생님은 너에게 가능성을 봤다. 우리 쫌만 더 파이팅 해보자."

나는 선생님이 나에게 가능성을 봤다는 말을 오랜만에 들었다. 처음 중학교에 들어왔을 때 듣고 정말 열심히 노력하게 해준 말이었다. 다시 들으니 예전처럼 다시 순위권에 들을 수 있을 것 같다는 생각이 들었다.

"자 다들 수고했고 집에 들어가서 푹 쉬고 내일 보자 이상."

나는 대련하느라 지친 몸을 이끌고 집으로 가는 중

에 치인 모양이다. 집으로 가고 있던 건 생각이 나는데 그 이후가 생각이 안 난다. 나는 다리를 크게 다쳐 철심을 박았다. 의사 선생님의 말로는 일상생활에는 문제가 없지만 과격한 운동은 삼가야 한다는 말을 들었다. 나는 믿을 수 없었다. 몇 시간 전만 해도 나는 체육관에서 대련을 했는데 갑자기 운동을 삼가야 한다니 나는 3일 동안 계속 울고 난리를 쳤더니 이젠 현실감각이 돌아왔다. 검도를 할 수 없다고 생각하니 삶의 의욕이 떨어졌다. 나는 잘 움직이지도 않는 몸뚱이를 휠체어로 끌고 옥상으로 향했다. 바람이 유난히 쌀쌀했던 그때 계속 무시하고 있던 친구들과의 단체 채팅방에 글이 올라왔다.

해파리

해파리에 대해 찾아보니 '헤엄치는 힘이 약하기 때문에 수면을 떠돌며 생활한다.'고 나와 있었다. 어쩐지 울컥했다. 헤엄치는 힘이 약하면 수면을 떠돌며 살면 된다. 죽어버리는 게 아니라

민정아 이 글처럼 헤엄치는 힘이 약해도 검도의 곁

을 떠돌아 다니는 게 어떨까? 심판같이 검도를 볼 수 있는 비록 하지는 못하지만 열정은 가장 가까이서 느낄 수 있는 검도의 해파리 같은 존재가

나는 이 글을 읽는 순간 나의 상황이랑 맞아 떨어져 세상이 무너지듯이 펑펑 울었다. 나는 울며 다짐했다. 검도를 포기하는 게 아니라 다른 길을 찾아보자고

6년 뒤

나는 검도 심판 시험을 봐 합격해 오늘 첫 경기를 배치 받았다. 대진표를 보니 설윤이가 있었다. 나는 설윤이를 보며 기뻤다. 꿈을 이루어서 나도 내가 처음 꾸었던 꿈은 아니지만 나의 꿈도 이루어졌다.

"상호간의 경례"

심장이 두근두근하며 뛰고 있다.

"경기 시작!!"

비록 검도를 떠돌며 살지만 그게 어떤가?

나는 무척 좋다.

내 심장을 뛰게 해준 검도가.